"Okuma alışkanlığınıza renk katmak için..."

BURGAÇ

Serpil Şimşek Hiçşaşmaz

SiYAH BEYAZ KiTAP	: 35
Lucifer Kütüphanesi	
Genel Yayın Yönetmeni	: Murat KAPLAN
Editör	: Çağdaş TEPE
Kapak Tasarımı	: Sinan ACIOĞLU
Kapak Fotoğrafı	: Gaye ANDİÇ
Basıldığı Yer	: Ezgi Matbaacılık, Sanayi Caddesi, Altay Sokak, Çobançeşme-İSTANBUL
Tel	: (0212) 452 23 02
ISBN	: 978-9944-490-38-2

© Siyah Beyaz Kitap, 1. Baskı, Mart 2008

Siyah Beyaz Basım Yayın Dağıtım
Bahariye Caddesi Ünertan Pasajı No: 35/38
Kadıköy-İstanbul
Tel: (0216) 337 03 09
Faks: (0216) 337 03 32
www.siyahbeyazkitap.com
siyahbeyazkitap@gmail.com

BURGAÇ

afgeschreven

SERPİL ŞİMŞEK

Karanlık, kasvetli ve bulutlu
günlerimde karşıma çıkıp bir güneş gibi
hayatımı aydınlatan sevgilime,
Uğur'uma

"Aşkı, dilinin ucunda bir acı gibi durur, konuşma duyusunu köreltirdi. Çünkü benliğinin tam ortasında açılmış bir yarayı andıran bu aşk, dünyadaki hiçbir sözcükle anlatılamazdı."

Andrew Jolly "Seni Kalbime Gömdüm"

Geminin güvertesinde ayakta öylece durmuş, önünde uzanan uçsuz bucaksız denize bakıyordu. Batan akşam güneşi suları eşsiz bir kızıla boyuyordu. Rüyada gibiydi. Gözlerini o muhteşem ışıltılardan ayıramıyor bir yandan da düşünüyordu. Nefis bir mayıs akşamıydı. Bir zamanlar; yine böyle, şahane bir mayıs ayında, ne kadar çok istemişti Akdeniz Gezisi'ne çıkmayı... Ne zamandı? Aradan kaç yıl geçmişti? Rüyalarını süsleyen ve romanlarda okuduğu adalara da gitmek istiyordu. Bu gemi, hiç yaşanmamış ve asla yaşanmayacak olan düşlerini de beraberinde taşıyordu. İçinde, çok uzun yıllar önce gelip takılan ve bazen anlaşılmayacak kadar yavaş, bazen ise son hızla dönen burgacı hissetti. Yüreğinin tam ortasındaki yaranın içinde dönmeye ve ıstırabını damla damla akıtmaya başlamıştı yine...

Genç kadın, otuzlu yaşlarının başında gibi görünüyordu. Ama inanılmaz güzellikteki gözlerinde sonbahar yapraklarının hüzünlü rengiyle birlikte, yalnızlık içinde geçen acı yılların izleri gizlenmişti. Uzaktan bakanlar ise ilkbaharın yazla buluştuğu bu güzel mayıs gününde, akşam güneşinin muhteşem rengini yansıtan saçları ve gözleriyle, kendine güvenli, asil ve şık giyimli çok güzel bir kadın görüyorlardı... Avucunda sımsıkı tuttuğu parlak, pembenin tonlarını içeren ve onun için çok değerli olan çakıl taşına baktı. Gemide, onun dışında herkes mutluydu ve yüzleri gülüyordu. Bir an için bu dünyanın dışında hissetti kendini. Tüm sesler ve renkler, gri bir sis tabakasının arasında kaybolmuştu. Hüzünlü ve güzel gözleri, güvertenin biraz ilerisinde neşeyle konuşarak ona gülümseyen Nilgün ile Sevgican'a takıldı. Çok sevdiği iki arkadaşına gülümseyerek el salladı ve yıllar önce tüm hayatını değiştiren o mayıs ayını düşünmeye başladı...

I. BÖLÜM

Telefonu eline aldı ve bıkkın bir ifadeyle artık ezbere bildiği numaraları çevirdi. Hiç umudu yoktu ama yılmadan deneyecekti. Çünkü sonunda amacına ulaşacağını biliyordu.

Birden inanamadı, telefon çalıyordu. O bitmez tükenmez meşgul sesini duymaya öyle alışmıştı ki. Heyecanlanmıştı, fakat telefon açılmıştı işte.

Hemen adını, soyadını, adresini ve telefon numarasını yazdırdı ve telefonu kapattı. Öylece kalakalmıştı. Yaklaşmıştı mutlu sona, bunu hissediyordu, yüreğinin tüm derinliklerinden gelen bir ses fısıldıyordu...

Sevgi, sonraki birkaç günü nasıl geçirdi? Bu nasıl bir duyguydu? Neler hissettiğini hiç anlayamıyordu. Sanki bulutların üzerindeydi, uçuyor uçuyordu.

Çalan her telefona kalbi yerinden fırlayacakmış gibi koşuyor fakat bir türlü beklediği telefon gelmiyordu. Günlerdir evden dışarı adımını atmamıştı. Her anı, hayatını değiştireceğine inandığı telefonu beklemekle geçiyordu.

* * *

Sevgi 22 yaşında, uzun boylu, güzel bir kızdı. Ama yüzü kadar iyi bir şansı yoktu ne yazık ki. Gözlerinde, yaşanmamış bir çocukluğun hüznünü taşıyordu. Hani bazı insanlar vardır. Onlara baktığınızda şöyle bir düşünce geçer içinizden: Bu insan bedenen çok genç ama ruhen çok yaşlı... Sevgi işte o gruptandı. Hayatının baharını yaşıyordu yaşamasına ama yeşermesi gereken dalların, tomurcuklanması gereken filizlerin yerine sararan yaprakları taşıyordu yüreğinde. Zaten inanılmaz irilikteki elâ gözleri yüreğindeki hazanı insanlara yansıtan bir pencereydi. Saçları ve gözleri güneşli bir sonbahar gününün değişik renk tonlarını içeriyordu.

Gözlerine bakan insanlar hüzün ve güz yapraklarından başka şeyler de görüyorlardı kuşkusuz. Zekâ kıvılcımları, adı gibi sevgi ışıltıları ve en önemlisi insanlara yardım etme isteği. Güz yapraklarının rengini taşıyan gözleri insan sevgisi ile parlıyordu.

Çok küçük yaşta annesini ve babasını bir trafik kazasında kaybetmişti. Anneannesini ve dedesini zaten hiç görmemişti. Diğer dedesini de öyle. Onlar çoktan ölmüşlerdi. Kazadan sonra onu babaannesi yanına alarak okutup yetiştirmişti.

Babaannesi oldukça yaşlıydı ama buna rağmen onu sevgiyle büyütmüştü. Çok az olan gelirinin neredeyse tümünü Sevgi için harcamıştı. Ama kötü şansı yine yetişmiş ve hayattaki tek yakını olan babaannesi de daha çocuk denilebilecek bir yaşta onu bırakıp gitmişti.

Acımasız hayatın çarkları dönerken 15 yaşındaki Sevgi hiç ses duymuyordu. Babaannesinden kalan evde ve yakın komşuların gözetiminde yaşayarak sonunda liseyi bitirdi. Dersleri çok iyiydi. Arkadaşları arasında çok sevilen bir kızdı. Onun yalnız yaşadığını bilirler ve korurlardı. Sık sık ev yemeği yemesi için evlerine çağırırlardı.

İstanbul'un küçük bir semtinde yaşıyordu. "İstanbul'un Balkonu" diye anılan daha çok yazlık evlerin bulunduğu, herkesin birbirini tanıdığı ve kayırdığı bir yerdi. Şimdilerde yükselen a-partmanlar, bahçeli ve sevimli evlere her ne kadar tepeden bakı-yorlarsa da henüz betonlaşmamış ender güzellikteki küçük semtlerden biriydi. Sevgi, pek çok yere uzak düşmesine rağmen evini ve evlerinin olduğu bölgeyi çok severdi.

Okulda samimi bir arkadaşı vardı. İlkokuldan beri birlikteydiler. Aynı sırada otururlardı hep. Tüm sırlarını paylaşırlardı. Nilgün de Sevgiyle aynı yaşta koyu kumral, bir manken gibi ince ve oldukça uzun boyluydu. Her sıkıntısı olan ona koşar, herkesin derdiyle ilgilenir, çare arardı. Sanki her zaman neşeli ve mutlu olmak zorundaymışçasına gülümseyen bir kızdı. Tüm arkadaşlarının haklarını o korurdu. Birisi zor durumda kaldığında hemen koşardı. Özellikle de Sevgi'nin, ona fark ettirmeden bir numaralı koruyucusuydu. Bu yüzden aynı yaşta olmalarına rağmen bir abla gibi hep etrafındaydı. Kalabalık bir aileye sahipti. Annesi, babası, iki ablası ve bir ağabeyi vardı. Onlar da Sevgi'yi çok severlerdi.

Sevgi o ailenin içinde kendisini çok mutlu hissederdi ve ertesi akşam evindeki yalnızlığına gömülünce ruhunun derinliklerinde bir yerlerde onu düşünen ve bekleyen birilerinin varlığını olanca gücüyle hissederdi.

Yaşıtlarının tersine klasik müzikten hoşlanırdı. Ayrıca rock müzik de dinlerdi. Yine babaannesinin söylediğine göre, küçük yaşta kaybettiği anne ve babası da klasik müzik sever ve dinlerlermiş. Hayal-meyal onların yüzlerini anımsıyordu. Onu çok severlerdi. Annesi mutfakta iş yaparken radyoda hep klasik müzik çalardı.

Annesini silik bir anı olarak şarkı söylerken anımsıyordu. Özellikle her zaman söylediği bir şarkı vardı ki, -İngilizce olduğunu tahmin ediyordu- bir kez duysa kesinlikle anımsayacaktı. A-dını ya da kimin söylediğini bilmediği için birilerine sorup öğrenmesi imkânsızdı.

Sevgi'ye hayat, gerçekten çok acımasız davranmıştı. 3 yaşında hem öksüz hem de yetim kalmasının ardından 15 yaşında hayatta yapayalnız kalmıştı. Hiç akrabası yoktu. Ya da vardı, o bilmiyordu. Kime sorabilirdi ki, yakınlarının hepsi ölmüştü. Ya da babaannesi ona öyle söylemişti.

Ölüm; hayatta kalan için yalnızlık ve kocaman bir boşluktur. İnsanın sevdiğini ya da sevdiklerini kaybetmesi tarifsiz bir acı verir. Hiçbir gerçek bu acıyı dindiremez ve yaşamak olanaksız gibi görünür. Çaresizce yaşam mücadelesi verilir. Oysa, zaman geçtikçe hayata boyun eğilir.

Sevgi de hayata boğun eğdi. Yaşamına devam etti, fakat yüreğinde kanayan yara asla kapanmadı, kabuk bağladı. Ruhundaki yalnızlığın yarası ise hiç geçmeyecekmiş gibiydi.

* * *

Bazen pencerenin önünde oturur ve düşünürdü. Sokaktan geçen insanları seyreder, onlar hakkında öyküler uydururdu. Özellikle de akşam saatlerinde. Her zaman, aynı saatte aynı insanlar, elleri ve kolları dolu olarak evlerine dönerlerdi. Sıcak yuvalarında onları bekleyen birileri mutlaka vardı. Eşleri, çocukları ya da anne ve babaları...

Hafta sonları özellikle pazar günleri ise babalar, tüm ailelerini toplayıp gezmeğe götürürlerdi. İçi burkulurdu Sevgi'nin ister istemez. Kıskançlık mıydı bu acaba? Yoksa kalabalık ve sıcak bir aileye duyulan özlem miydi?

Sevgi, uzun yıllar önce duygularını bastırmayı öğrenmişti. Daha doğrusu hislerini göstermemesi gerektiğini bir şekilde anlamıştı. Üç yaşına kadar gayet mutlu giden hayatı birdenbire değişmiş ve daha önce hiç görmediği bir yaşlı kadının evine gelmiş ve onun evinde onun şartlarında yaşamak zorunda kalmıştı.

Üç yaşında birdenbire büyümüştü, hiçbir zaman bir çocuk gibi hareket edememişti. Yaşıtları oyuncakları ile oynarken, parklarda koşarken o babaannesi ile birlikte komşulara gitmiş ve orada hanım hanımcık oturmuştu. Aynı zamanda yaşıtlarını henüz anneleri yedirirken, o her işini kendisi görmeye alışmıştı. Yemeğini yiyor, giysilerini zar zor fakat yardımsız giyiyordu. Tuvalete tek başına gidiyor, sofrayı kuruyor, kaldırıyor, toz alıyordu. Bu kadar küçük bir çocuğun evde iş yapması nedense babaannesini pek rahatsız etmiyordu. "Alışmalısın" diyordu. "Ben çok yaşlıyım ve yakında gideceğim."

O zamanlar çok merak ediyordu. Acaba babaannesi nereye gidecekti? Neden onu da yanında götürmeyecekti? Oysa her gittiği yere götürürdü onu. Alışveriş için çarşıya, pazara, komşuya, maaş almak için bankaya... Peki şimdi neden böyle söylüyordu. Acaba onu kızdıracak ya da üzecek bir şey mi yapıyordu fark etmeden? Ama çocuk yüreğiyle onun gitmesini hiç mi hiç istemiyordu.

Onu seviyor muydu? Aslında birbirlerine çok alışmışlardı. İsimlendiremediği bir duygu ile babaannesinin, onu çok fazla sevmediğini hissederdi yüreğinin bir köşesinde. Sanki ona gizli bir kırgınlığı vardı. Ya da Sevgi onun hayatında kötü bir olaya sebep olmuş gibi hissederdi. "Beni de götür babane ne olur. Ben sensiz ne yaparım?" deyince; "Olmaz kızım oraya yalnız gidilir!" derdi. Neden onu da beraberinde götüremeyeceğini bir türlü anlayamazdı.

Ancak, yıllar sonra babaannesinin nereye gideceğini anlamıştı!

Babaannesinden ona miras olarak bir daire, kıt kanaat geçinecek kadar bir maaş ve anılar kalmıştı. Evde her işi zaten Sevgi yaptığı için düzeni hiç değişmedi, artık tek kişilik sofra kuruyor ve tek kişilik yemek yapıyordu.

"Babane"yi seviyordu. Hayattaki tek yakını oydu çünkü. Her şeyi ondan öğrenmişti. Okula gidene kadar her çocuğa babaannesi bakıyor sanıyordu. İlk ve müthiş hayal kırıklığını okula başladığında yaşadı. Çünkü her çocuğun anne ve babası, pek çoğunun da kardeşleri vardı. Tamam onların da babaanneleri vardı, hatta fazladan bir de anneanneleri vardı. Ayrıca dedeleri, dayıları, amcaları, teyzeleri, halaları, yengeleri, yeğenleri, kuzenleri...

Çocuklar saydıkça şaşkınlığı artıyor ve hemen eve koşup "babane"sine soruyordu. Bu sayılanların ne anlama geldiğini bile bilmiyordu. Örneğin kuzen ne demekti? Hiç de böyle bir şey duymamıştı ve neden onun da kuzeni yoktu?

"Babane, neden benim dayım yok? Neden teyzem yok? Neden bir kuzenim yok?

Annesinin ve babasının çok küçükken öldükleri ona söylendiği için onları sormuyordu. Küçücük çocuk yüreğiyle bu acıyı kabul edip üstlenmişti.

Babaannesi onu her zaman "kadersiz kızım" diye severdi. Yüzüne öylece bakar ve Sevgi koşup onu öpücüklere boğana kadar beklerdi. Sonra ikisi de aynı anda kahkahalarla güler sonra da ağlarlardı. Sevgi neden ağladıklarını hiç anlayamazdı. Neden sadece gülmekle kalmazdı babaannesi? Neden hemen arkasından ağlardı?

Bunu da çok sonraları anlamıştı tabii ki. Sevgi'yi hayatta yapayalnız bırakıp gideceği için ağlıyordu o.

* * *

Yine bir bayram gününü anımsadı. Pencerenin önünde oturmuş düşünüyordu. Aslında o gün bugündür bayramları hiç sevmezdi. Çünkü bayram günleri babaannesi çok fazla ağlardı. Diğer evler dolup taşarken onlara kimse gelmezdi. Birkaç gün önceden çarşıya çıkıp ona bayramlık elbise ve ayakkabı alınırdı. Anımsadığı her bayram mutlaka yeni bir şeyler giymişti.

Bayram sabahı erkenden kalkarlar, Sevgi bayramlıklarını giyer, onun elini öper sarılır ve ağlaşırlardı. Bu her bayram böyleydi. Sonra da pencerenin önündeki koltuklara karşılıklı otururlar ve dışarıdaki mutlu insanların akrabalarına gidip gelmelerini izlerlerdi.

Her bayram günü babaanne özenle en yeni ve temiz giysilerini giyer, beklerdi. Kulağı hep kapıda, gözü yolda olurdu. Sevgi onun kimi ya da kimleri beklediğini bilmezdi hiç. Zaten hiç kimse de gelmezdi. Komşulardan ve çocuklardan başka...

Ama Sevgi hissederdi. Babaannesi birilerinin gelmesini beklerdi. Komşuları ya da çocukları değil. Mutlaka onun gelmesini istediği birileri vardı. Bundan emindi. Kaç kez sormuştu:

"Babane kimi bekliyoruz? Bu yemekleri kime yaptın?"

"Hiç kimseyi beklemiyoruz kızım, Bizim kimsemiz yok ki? Biz yapayalnızız hayatta. Sadece sen ve ben."

İşte, bu yüzden bayramları hiç sevmezdi Sevgi. Nasıl sevsin? Hayatta ne kadar yapayalnız olduğunu bayram günleri çok daha fazla hissederdi. Ne olurdu sanki onun da diğer insanların sahip olduğu gibi akrabaları olsaydı... Dayıları, teyzeleri, amcaları, halaları, yeğenleri, kuzenleri...

Bir kardeşi, ağabeyi ya da ablası niye yoktu sanki?

Liseyi bitirdikten sonra Nilgün'ün babasının ortak olduğu ve merkezi İtalya'da bulunan bir şirkette işe başladı. Nilgün ve o, üniversitede istedikleri yeri kazanmışlardı. Sevgi hem çalışıp hem üniversiteye devam ediyordu. Bunu başarabileceğinden emindi. İtalyan Dili ve Edebiyatı okuyordu.

Şirkette iyi bir maaşı ve pozisyonu vardı. Hayatından memnundu. Zaten yapı olarak yumuşak karakterli olduğundan diğer çalışanlarla uyum içindeydi.

Böylece maddi bakımdan hiç sıkılmadan yaşıyordu. Evi de kira olmadığından fazla masrafı yoktu. Ama yüreğinin bir yerinde eksikliğini hissettiği bir şeyler vardı ki onların para ile satın alınamayacağını çok iyi biliyordu.

Nilgün hukuk fakültesine gidiyordu ve dersleri ağırdı ama yine de sık sık görüşüyorlardı. Bazen onlara kalmaya gidiyor bazen de Nilgün şirkete geliyordu. O zaman Sami, her ikisini de alıp dışarıya yemeğe çıkarıyordu. Sevgi, patronu Sami'yi bir baba gibi seviyordu.

Günler böylece geçiyordu. Çalışma hayatını sevmişti. Çünkü orada işlerle meşgul olduğu için kendi yalnızlığını düşünmeye pek fırsatı yoktu. Hafta sonlarını ise sevmiyordu. Evde yapayalnız oturuyor ve derslerine çalışıyordu.

Bazen, arkadaşları ile buluşuyor sinemaya, konsere gidiyordu. Opera da seviyordu fakat birlikte gidecek arkadaş bulamadığı için yalnız başına gitmek zorunda kalıyordu.

Her operaya gidişinden sonra eve dönünce hüzünleniyordu. Çünkü annesi ve babasının klasik müziği, operaları çok sevdiklerini anımsıyor ve onlarla birlikte olmayı çok daha fazla özlüyordu.

Sislerle kaplı çok uzak bir anısı gözünde canlandı birden.

Annesi mutfakta yemek yapıyor ve neşe içinde radyodan dinlediği bir aryaya eşlik ediyordu. Öyle çok bağırıyordu ki, kapının çaldığını duymamıştı. Oyuncak bebeği ile oynamayı bırakıp annesine "tapı tapı" diye seslendiğini hayal meyal anımsadı. (Küçükken "k" harfinin yerine "t" harfini kullandığını babaannesi de hep söylerdi) Annesi arya söylemeyi bırakıp kapıyı açtı ve alt kattaki hanımla karşılaştı. Komşunun "valla ben de çocuğu dövüyorsunuz sandım" dediğini, annesinin de kahkahalarla güldüğünü, gözleri yaşararak ve aynı zamanda gülümseyerek düşündü. Bunları belki yaşamamıştı da rüyasında görmüştü... Kimbilir?

Zaten önce ağlamak sonra gülmek, ya da önce gülmek ve hemen arkasından ağlamak sanki karakterinin bir parçasıydı. Babaannesi ile paylaştıkları çok garip bir alışkanlıktı bu!

Komşu gittikten sonra annesi onu sıkı sıkı kucaklamış ve "Ne tuhaf kadın bu, değil mi bebeğim? Ben hiç bitanecik minik kuşumu döver miyim?" demiş ve defalarca yanaklarından öpmüştü. Annesi ne kadar da güzel kokuyordu...

Gözlerinden akan yaşlar annesinin kokusunu anımsamasına engel olamıyordu...

16

2. BÖLÜM

Küçüklüğünde babaannesi ile pencerenin önünde karşılıklı oturup sohbet ettiklerini anımsadı. Şimdi yine aynı koltukta o- turmuş düşünüyordu. "900 BİN SAHİBİNİ ARIYOR" yarışmasına katılmaya hak kazanmıştı ve aramalarını bekliyordu. Hissediyordu ki bu yarışmadan sonra hayatı değişecekti. Nasıl bir değişim olacağını pek kestiremiyordu ama bundan emindi.

Kazanıp kazanamayacağını da pek bilemiyordu. Arkadaşları arasında kültürlü ve bilgili olarak bilinirdi. (Belki de arkasından ukala diyenler vardı) Ama tüm tanıdıklarının ortak fikri bu yarışmaya mutlaka katılması gerektiğiydi.

Ülkede yarışmalardan zengin olmak bir moda haline gelmişti. Hemen her televizyon kanalının birden fazla yarışma programı vardı. Bazıları fiziksel güç gerektiren yarışma programlarıydı. Bazıları da bilgi ve kültür birikimi...

Katılmak çok zordu, belli bir miktar altın satın almak, ki bu onun maddi gücünü aşıyordu veya telefonla, verilen bir numarayı arayıp sorulan soruya doğru yanıt vermek gerekiyordu. Daha sonra da kayıt yaptırıp onların aramalarını bekliyordunuz.

Sevgi şimdi bu bekleme dönemindeydi. Çok kısa bir zamanda arayacaklardı ve yarışmaya katılacaktı. Fakat hayatını değiştirecek telefon bir türlü çalmak bilmiyordu.

Birden telefonun sesiyle irkildi. Aramışlardı işte. Sevinçle ahizeyi kaldırdı. TV kanalı yerine, işyerinden bir arkadaşının sesini duyunca uğradığı hayal kırıklığı müthiş oldu. İşle ilgili bir şeyler soruyordu. Bu yarışma için patronundan birkaç gün izin almıştı.

Telefonu bıraktı ve gidip pencere yanındaki koltuğuna oturdu. Telefon tekrar çaldı...Bezgin bir ifade ile "Herhalde sormayı unuttuğu bir şey var!" diyerek ahizeyi eline aldı. Birden TV kanalından aradıklarını söyleyince şaşırdı. Bir rüyada gibi yanıt verdi ve o gün o saatte orada olacağını söyleyerek telefonu kapattı.

* * *

Hayatındaki yeni dönem o andan itibaren başlamış bulunuyordu. İki gün sonra yarışmaya katılacaktı. Hemen Nilgün'ü aradı. Nilgün onunla birlikte yarışmaya gitmeyi çok istediğini ve çok sevindiğini söyledi.

İki gün nasıl geçti? Hiç anımsamıyordu. Ayrıca önemi de yoktu. Artık hayatının değişeceğinden o kadar emindi ki hiçbir şey onu üzemezdi.

Ülkenin en çok seyredilen TV kanalında ve en çok seyredilen yarışma programına katılacağı için çok sevinçliydi. Şimdiye kadar kazanılan en büyük ikramiye 125 bin liraydı. Daha büyük para kazandıracak soruları bilen yarışmacı çıkmamıştı. İçinden bir ses ona çok fazla para alacağını söylüyordu. Soruların tamamını bileceğini sanmıyordu ama en azından o güne kadar olan rekoru kıracağından emindi.

Küçüklüğünden beri ayrıcalıklı olduğunu düşünürdü hep. Nedendir bilinmez ama sık sık özellikli birisi olduğu hissine kapılırdı. Büyük bir olasılıkla diğer çocuklardan değişik bir şekilde büyüdüğü içindi bu duygusu. Küçük yaşta anne-babasını kaybetmek ve babaannesi tarafından büyütülmek ona hep diğer insanlardan farklı olduğu duygusunu aşılamıştı.

Oysa çok sonraları kendi durumunun, her şeye rağmen iyi olduğunu, nice talihsiz çocukların sokaklarda büyüdüğünü görünce anlamıştı.

"Öz varlığının her yerde, evrenin ve zamanın da ötesinde, henüz adlandırılmamış bir yetkinlikle yaşadığının bilincine varmak..."

Richard Bach'ın "MARTI" isimli kitabını kim bilir kaçıncı kez okuyordu. Altını çizdiği satırları tekrar tekrar okudu. Evet o da bir Martı'ydı ve uçmayı başaracaktı. Bunca yıldır kendi ayaklarının üzerinde durabildiğine göre başaracaktı.

"Yaşam, bağrında taşıdığı olanaklardan dolayı ne büyük bir anlam yüklüydü." Richard Bach haklıydı galiba...

Martı Jonathan Livingstone, nasıl diğer martılardan kendini soyutlamış ve karşısına çıkan hiçbir güçlükten yılmamışsa o da her engeli aşarak bugünlere gelmişti. Kendisini Martı Jonathan ile özdeşleştirmişti ve uçmayı başaracaktı.

Yıllardır yalnız yaşıyordu. Seviyordu yalnız olmayı. Evini de seviyordu. Küçük, sevimli ve anılarla dolu evini...

Küçücük bir bebekken, anne ve babasının kucaklarında çekilen, tek fotoğraf evinin baş köşesini süslüyordu. Bilmediği bir sebepten dolayı, babaannesi ile yaşadığı evde anne ve babasına ait başka hiçbir fotoğraf yoktu.

Hâlâ babaannesinden kalan eşyaları kullanıyordu. Seviyordu bu eşyaları, eski ve yıpranmış koltukları, kanepeleri, sandalyeleri, eski ceviz masayı ve büfeyi çok ama çok seviyordu. Evinde, eski eşyalarına bakarak kendisini huzurlu hissediyordu. Onlar adeta yalnızlığını paylaşıyorlardı. Bunu başkalarına anlatması olanaksızdı. Eşyaları onun ailesi gibiydi. İşte şu koltuk sanki babaannesi ile özdeşleşmişti. Onu, hep o koltukta otururken anımsıyordu. Anne ve babasından kalan kitaplarla dolu kütüphane ise onun için bir hazine değerindeydi. Babaannesi, trafik kazasından sonra, onların evinden sadece kütüphaneyi ve kitaplarını almıştı. Sonraları, Sevgi'nin de kitap okumaya bu kadar meraklı olduğunu görünce ne isabetli bir karar vermişim diye düşünmüştü.

Özellikle annesinin ve babasının okudukları kitaplar çok kıymetliydi, çünkü onlara dokunmuşlardı. Annesi, okuduğu kitaplarda bazı tümcelerin ya da paragrafların altını çizmişti. Şimdi kendisi de okuduğu kitaplarda beğendiği yerlerin altını çiziyordu. Bu, ona yüzünü ve kokusunu çok zor anımsadığı annesinden kalma bir davranış olsa gerekti!

Bazı günler kütüphanesinin önündeki koltuğa oturur ve hayallere dalardı. Annesi ve babası sağ olsalardı onlarla burada oturur ve okudukları kitaplarla ilgili fikir yürütürlerdi. Her ikisi de farklı bankalarda çalışıyorlarmış. Onlar hakkındaki tek bilgisi de buydu zaten...

Pencerenin önündeki koltukla ilgili de ne çok anısı vardı. Çok önceleri, küçük bir kızken, babaannesiyle birlikte bu koltuklara karşılıklı oturular, geleni geçeni seyrederler ve sohbet ederlerdi.

"Babane"si çoğunlukla sokaktan geçenleri tanır ve onlar hakkında bir şeyler anlatırdı Sevgi'ye. "Nereden biliyorsun bunları babane? Sen nasıl herkesi tanıyorsun böyle?" diye hayret ederdi o yaşlarda.

Babaannesi öldükten sonra da en büyük eğlencesi yine pencerenin önünde oturmak ve gelene geçene bakmaktı. Fakat o babaannenin aksine hiç kimseyi tanımıyordu (Belki babaannesi de kimseyi tanımıyordu ve o insanlar hakkındaki öyküleri kendisi uyduruyordu!..)

Ama o, kendisine önce bir eğlence olarak başlayıp sonraları giderek tutkuya dönüşen bir oyun buldu. Her geçen insan için bir öykü uyduruyordu. Genellikle sokaktan aynı insanlar geçtiği için zamanla o da insanları tanımaya başladı. Kendi öykülerinin kahramanı olan bu insanları istediği yere yolluyor, istediği işte çalıştırıyor istediği gibi bir aile içinde yaşatıyordu ve bu oyun çok hoşuna gidiyordu.

* * *

Günlerden bir gün uydurduğu öyküleri yazmaya karar verdi. Aynı zamanda çalışmaya da başladığından geceleri evde geç saatlere kadar öyküler yazmaya başladı. Devamlı yazmaktan parmakları yoruluyordu. Oysa işyerindeki gibi bir bilgisayarı olsaydı ne kadar güzel olurdu!

Bir bilgisayar alma fikrini arkadaşı Nilgün'e açtı. Ertesi gün gidip araştıracak ve bir bilgisayar alacaklardı.

Aynı günün akşamıydı, kapı çalıyordu. Kimseyi beklemiyordu bu saatte. Hava iyice kararmıştı. Açtığında öyle şaşırdı ki, gözlerine inanamadı bir an. Nilgün ve babası (aynı zamanda patronu) Sami karşısında duruyorlardı.

Bir an korktu kötü bir olay oldu sandı. Yüreği bir kuş gibi kanatlanmış uçuyordu sanki. Nilgün'ün sesiyle kendisine geldi:

- Bizi içeri davet etmeyecek misin?

- Tabii, ne demek lütfen girin içeri...

Sevgi arkadaşının yüzündeki mutlu ifadeyi görünce kötü bir şey olmadığını anlamıştı ama yine de bu saatte ve bu şekilde gelmelerinin mutlaka bir sebebi olmalıydı.

Sami otururken sordu:

-Evladım senin çayın vardır ocakta değil mi?

-Tabii Sami beyamca

dedi ve anında utancından kıpkırmızı oldu. İşyerinde ona "Sami Bey" diye hitap etmeye çok zor alıştırmıştı kendisini ama evinde görünce yine ağzından beyamca sözcüklerini kaçırmıştı.

-Hadi, kızım acele et çünkü çaydan sonra çok önemli işlerimiz var.

Sevgi mutfağa koştu. Nilgün de peşinden gelmişti. Sevgi heyecanla:

-Neden geldiniz gecenin bu saatinde?

-Biraz sonra görürsün.

Çaylarını içerken Sevgi merakla bekliyordu. Sami onun evine ilk kez geliyordu.

Sonunda çaylar bitti ve Sami yerinden kalktı ve "Arabaya kadar gidip geleceğim" dedi.

Nilgün, Sevgi'ye baktı:

-Canım arkadaşım, sana söylemiştim ya bu mesele hallolacak diye!

Sami kapıda tekrar göründüğünde, elinde bir "monitör" tutuyordu. Sevgi çok şaşırmıştı.

-Ne duruyorsunuz, elimden alsanıza şunu! diye tatlı-sert bir ifade ile çıkıştı.

Sonra aşağı indi ve "hard diski" de getirdi. Nilgün memnun, Sevgi ise şaşkındı. Rüya görmüyorsa eğer artık bir bilgisayarı vardı. Nilgün yapacağını yapmıştı yine. Evdeki bilgisayarını değiştirip eskisini Sevgi'ye getirmişti. Aslında eski falan da değildi. Alalı henüz bir yıl olmuştu. Ama o birdenbire (!) daha yeni model bir bilgisayar alma ihtiyacı içinde olduğunu babasına söylemişti. Yenisi alınınca eskisi ne olacaktı? Birisine verilecekti tabii ki, diğer yenilediği eşyalarda olduğu gibi. O birisi de sevgili arkadaşından başkası olamazdı...

Sevgi, onlar gittikten sonra, geç saatlere kadar bilgisayarın başında kaldı. Kullanmayı biliyordu ama bilmediği ne kadar çok şey vardı! Gözleri kan çanağına dönmüştü. Kapının çalındığını duyunca yerinden kalktı ve başka bir dünyada yaşıyormuş gibi gitti kapıyı açtı. Uykusuzluktan bitap durumdaydı ve sabah olduğunun farkında bile değildi. Karşısında Nilgün duruyordu. Elinde tuttuğu mis gibi kokular saçan ve sıcak olduğu hissini uyandıran paketi Sevgi'ye doğru uzattı.

-Nasıl da biliyorum! Bu gece bilgisayarın başında sabahlayacağını nasıl tahmin ettim... Haydi çabuk çayı koy ocağa..."

Sevgi haklıydı. Paketi eline alınca poğaçaların sıcaklığını hissetti. İçi ısındı birdenbire. Hiç akrabası ve yakını yoktu ama arkadaşı ona öyle yakındı ki. Çok küçük yaşlarından beri arkadaştılar ve birlikte çok şey paylaşmışlardı.

Çayı koydu ve odaya gitti. Masayı hazırladı. Evi mis gibi simit ve poğaça kokusu sarmıştı. Sabahın bu erken saatinde iki arkadaş neşeyle çaylarını içiyorlardı. Sevgi mutluydu, hayatı değişiyordu, yarışmaya katılacaktı. Nilgün'ün babası, bu yarışma için bir hafta izin vermişti. Nilgün o gece orada kalacaktı ve ertesi gün birlikte yarışma programının yapılacağı TV kanalının bulunduğu stüdyoya gideceklerdi.

-Heyecanlı mısın Sevgi? Nasıl bir duygu bu? TV'ye çıkacaksın, pek çok insan seni seyredecek. Biliyorum sen kendinden eminsin, ama şans bu bakarsın bir aksilik olur. Üzülmeni hiç istemem. Her şey biz insanlar için, kazanmak da kaybetmek de..."

-Bu duruma kendimi alıştırdım. Sen hiç merak etme canım arkadaşım. Kazanamazsam da üzülmeyeceğim. Sonuçta bir yarışma bu ve ben de o havayı solumuş olacağım.

Sevgi, içinden şöyle geçirdi. Kazanamazsam hayatımda hiçbir değişiklik olmayacak, ama tersi olursa hayatım tümden değişecek.

-Ben bu yarışmanın sonucunda hayatımın değişeceğini hissediyorum. Kazanmak ya da kaybetmek önemli değil benim için, ama ne olacaksa olacak. Tüm hayatım değişecek. İstersen yaz bir kenara. Bana söylemişti dersin.

-Canım, sen üzülme yeter ki. İyi şeylere layıksın sen. Hadi şimdi git biraz uyu ben de mutfağı toparlayayım sonra oturur program yaparız.

-Tamam, biraz uyusam kendime gelirim.

Sevgi oracıkta kanepeye kıvrıldı ve başını koyar koymaz uyudu. Uyurken ne kadar da masum görünüyordu, tıpkı bir bebek gibi... Nilgün onun güzel bir rüya gördüğünden emindi...

23

* * *

Bir kumsalda, yanında genç bir adamla el ele yürüyordu. Bir eve doğru gidiyorlardı. Evde onları bekleyenler vardı. Kimlerdi onlar? Akrabalarım diye düşündü. Benim ne kadar da çok akrabam var. Ama bunlar eskiden neredeydiler? Ben küçük bir çocukken ve onlara ihtiyacım varken neden yoktular? Okul arkadaşlarım dayılarından, teyzelerinden, amcalarından, halalarından ve onların çocuklarından bahsederken ve hiç akrabam olmadığı için benimle alay ederken... Bayramlarda babaanne ile pencerede oturup komşularını (!) beklerlerken...

Yanındaki genç adam kimdi peki? Neden onunla el ele yürüyordu? Hiç erkek arkadaşı olmamıştı. Okuldaki arkadaşları ile hep mesafeliydi. Kimseye âşık da olmamıştı bugüne kadar.

Eve yaklaşınca onları çocuklar karşıladı. Sevgi yine düşündü. Acaba yanımdaki gencin akrabaları mı bunlar? İçindeki ses anında yanıt verdi. "Hayır bunların hepsi benim akrabaların..."

24

Peki daha önce neredeydiler? Annesi ve babası öldüğünde neden hiç kimse yoktu etraflarında? Babaanne bayramlarda yemekler yapıp gizlice kimi beklerdi? Niye 15 yaşında yapayalnız kaldığında, komşularından ve arkadaşlarından başka kimse yoktu evinde? Niye? Niye? Niye?..

* * *

Mutfaktan yine çok güzel kokular geliyordu. Nilgün patates kızartıyordu. İki arkadaş patates kızartmasına bayılırlardı. Yanında ise bol bol salata. Çünkü her iki kız da et yemezdi. Sevgi biraz önceki garip rüyayı anlattı. Aslında yarım saatten biraz fazla süren bu uyku Sevgi'yi kendine getirmişti.

Nilgün de hemen yorum yaptı.

-Demek ki yarışmayı sen kazanacaksın ve de ortaya akrabaların çıkacak... Hah-hah-haaaa.

-Kes şu garip gülmeni yaa!

-Ama hep böyle olmaz mı? Milli Piyango'nun yılbaşı çekilişinde büyük ikramiyeyi kazananların başına gelir. Hiç tanımadıkları, görmedikleri akrabaları çıkar ortaya. Onlar da mecburen ortadan kaybolurlar. Çünkü sıkılırlar bu yeni akrabalardan.

-Ben de biraz hayal kurayım. Olmaz ya en büyük ikramiyeye kadar yanıtlamışım ve 900 bini almışım. Düşünsene bir kez... Tüm Türkiye beni tanıyacak. Vallahi anında akrabalarım çıkar ortaya. Bak görürsün.

-İster miydin çıkmasını akrabalarının?

-Nilgün, sen biliyorsun benim hayatımı. Sadece üç yaşıma kadar anne-baba sevgisi gördüm. Hayal meyal hatırlıyorum onları. Babaannem ise beni severdi, hissederdim bu sevgiyi, ben de onu çok severdim. Ama içimden bir ses bana her zaman şöyle fısıldardı: "Babaannemin bana karşı bir kırgınlığı var sanki!" Ama bana asla bir şey söylemedi ya da belli etmedi. Tamam beni her zaman korudu ve sevdi. Tüm malını mülkünü bana bıraktı. Düşünsene o da olmasaydı sokaklarda büyümek zorunda kalırdım.

-Soruma yanıt vermedin ki?

-Evet isterdim dersem şaşırma sakın. Param olduğu için bile çıksalar yine de isterdim. Çocukluğumda yaşadıklarımı unutmadım henüz. Biliyorsun Alper bana ne isim takmıştı: "Kimsesiz kız"...

-Ha, evet anımsıyorum Alper'i. Diğer çocukları da o azdırırdı. Ben seni koruyorum diye bana da kızarlardı. Sen onun akrabası mısın? Yoksa avukatı mısın? derlerdi bana.

-Kimsesiz kız büyüdü artık. Yarın bakalım ne olacak? Bak ne yapalım, eğer olur da ben bu yarışmadan büyük bir para kazanırsam ve bunun sonucunda ortaya bilmediğim akrabalarım çıkarsa; biz de Alper'i bulup ona bir oyun oynayalım. Var mısın?

-Alper'ler buradan taşındı biliyorsun. Nereye gittiklerini de hiç bilmiyorum. Ama buluruz. Tamam bu iş çok hoşuma gitti.

25

Böyle esrarengiz olaylara bulaşmayı severim biliyorsun. Onu bulma işi bana ait.

-Dur bakalım kazanırsam dedim.

-Canım kazanacaksın, içime öyle doğuyor. Başka bir olasılık yok!

* * *

İki çocukluk arkadaşı o günü neşe içinde evde geçirdiler. Bilgisayar başında, çay içerek, yemek yiyerek... Daha çok da konuşarak.

Gecenin ilerleyen saatlerinde Sevgi aklından geçeni dışarı vurdu:

-Yarın bu saatlerde ya hayatım değişecek ya da bir aptal olarak nitelendirilip hayatıma öylece devam edeceğim. İşyerinde arkamdan gizli gizli dedikodular yapılacak. Aslında hiç de umurumda değil. Katılmak istiyorum, bu yarışmaya. Bana neye mal olursa olsun...

Sevgi'nin iç dünyası karmakarışıktı. Aslında itiraf etmekten çekindiği düşünceler artık iyice kendini hissettiriyordu. Çok istiyordu bu yarışmadan iyi bir para kazanmayı. Neden? Sadece, evet sadece ortaya bilmediği akrabaları çıksın diye istiyordu.

-Nilgün, sana bir itirafta bulunacağım. Bu gece bunu sana söylemek zorundayım.

-Meraklandırma beni, lütfen söyle.

-Ben bu yarışmayı kazanmayı aslında neden istiyorum biliyor musun?

-Tabii ki biliyorum. Daha iyi bir hayat için. Çünkü bir sürü projen var ve bunlar için çok para gerekiyor. Hepsini biliyorum. Çoğu da çocuklar ve yaşlılarla ilgili.

-Hayır, yanılıyorsun.

Nilgün, Sevgi'nin gözlerinin içine inanamayan bir ifade ile baktı. Arkadaşı neler saçmalıyordu bu akşam böyle. Paraya önem veren bir kız değildi kesinlikle. Hayatı maddi açıdan hiçbir zaman ele almamıştı. Manevi değerlere önem veren, tüm canlıları seven bir insandı o. Sanki sadece iyilik yapmak için gelmişti bu dünyaya.

-Kazanırsam mutlaka benim de bir yerlerden akrabalarım çıkar ortaya. Beni televizyonda görürler, para kazandığımı duyarlar. Böylece yarışmadan önce yapacağım dramatik konuşmayı göz önüne alarak, beni sevindirmeye koşarlar hepsi.

-Sen neler saçmalıyorsun Sevgi?

-Yarışmadan önce sunucu bana sorular soracak ya! Şunu özellikle vurgulayacağım. Üç yaşımda annemi ve babamı, on beş yaşımda da hayattaki tek akrabam olan babaannemi kaybettiğimi ve yalnız yaşadığımı söyleyeceğim. Herkes daha sonra bana akraba çıkabilmek için birbiriyle yarışacak. Esas yarışma o zaman başlayacak.

Sevgi'nin gözlerinden yaşlar sicim gibi akmaya başlamıştı. .

27

Nilgün donakalmıştı, arkadaşının yüzüne şefkat, sevgi ve acıma hislerinin birbirine karışıp kaynaştığı ve ne olduğunu bilemediği bir duygu ile baktı. Gözyaşlarını saklamadan boynuna sarıldı ve ikisi de hıçkırarak ağlamaya başladılar. Öyle bir andı ki o, anlatmaya sözcükler yetmezdi. Arkadaşının bu konuda hassas olduğunu biliyordu ama bu kadarını da beklemiyordu doğrusu. Böyle bir yarışmaya katılıp büyük ikramiyeyi kazanma amacı, onun incinmiş çocuk yüreğini olduğu gibi ortaya çıkarmıştı.

Nilgün o gece arkadaşının bir başka yüzünü görmüştü. Oysa onu ne kadar da güçlü bilirdi! Tek başına yaşayan, hayatın sillesini yemiş, ama daima dimdik ayakta ve kuvvetli arkadaşı ona bir itirafta bulunmuştu. Ne pahasına olursa olsun yakınlarını istiyordu.

Birden kendisinden utandı. Şimdiye kadar geçirdiği bayramları düşündü. Bitmek tükenmek bilmez akrabalarından bıkar odasından dışarı çıkmazdı. Onların yaramaz çocuklarından nefret eder, oyuncaklarını paylaşmak istemez, onların yanına gitmezdi. Biraz daha büyüdüğünde ise amca ve hala oğullarının kendisine sahip çıkmalarına sinirlenir, erkek arkadaşlarını yanından uzaklaştırmalarına kızardı. Teyzesinin kızlarının meraklı sorularına deli olur, onlar gelince evden kaçmaya bakardı.

Şimdi Sevgi'nin yüzüne bakıp, bunların birini bile yaşamadığını düşündü. Hiç aklına gelmemişti. Gerçi annesi ve babası her zaman onu eve çağırmasını isterlerdi. Ona özel bir ilgi gösterirlerdi, ama bunların asla gerçek bir akrabanın gösterdiği ilginin yerine geçmediğini o anda anlamıştı!

Yıllardır birlikte büyüdüğü, anımsayabildiği tüm çocukluk ve genç kızlık günlerini paylaştığı, okuldaki sınıf ve sıra arkadaşı, can dostu karşılıklı geçip ağlaştıkları bu kızı aslında hiç de tanımadığı ortaya çıkmıştı. Yüreğindeki sevgiyi ya da sevgiye olan açlığı nasıl da görememişti. Nasıl da anlayamamıştı onun duygularını?

Böyledir işte hayat! İnsanlar ellerindekilerin değerini asla bilemezler. Ta ki, onlar bir şekilde kaybedilinceye kadar...

Nilgün, kalabalık bir ailede yaşıyordu ve aynı oranda geniş bir akraba kitlesine sahipti. O güne kadar asla düşünmediği ve şu anda tüm benliğinde hissettiği kimsesizlik duygusu onu çok etkilemişti. Arkadaşı Sevgi, gerçekten çok güçlü bir kızdı. Ondan öğreneceği ne çok şey vardı...

* * *

Sevgi artık gülüyordu. O da gülmeye başladı. Hemen kalktılar ve mutfağa gittiler. Türk kahvesi yapıp içecekler ve birbirlerine fal bakacaklardı. Küçük yaşlarından beri en büyük eğlencelerinden biriydi bu.

Kahve içip fal bakmak! Öyle komik şeyler çıkardı ki fallarında...

Nilgün, Sevgi'nin fincanında bir şeylerin ters gideceğine dair bir işaret görmüştü. Bu yarışmaya katılmak ona mutluluk getirmeyecekti. Büyük bir olasılıkla kazanamayacak böylece çok üzülecekti. Ama nedense bunları Sevgi'ye söylemek içinden hiç gelmedi. Fincanı ve falı da aklından çıkarıp attı.

Çok değişik bir gün ve gece geçirmişlerdi. Ertesi gün erkenden kalkıp, yarışmayı düzenleyen TV kanalının bulunduğu semte gideceklerdi. Yatmaya karar verdiklerinde uyku gözlerinden akıyordu.

* * *

Genç ve güzel bir kadın kapıyı açtı:

-Nerede kaldınız, çay oldu sizi bekliyoruz. dedi.

Sevgi, salona girdi ve tüm başlar ona doğru döndü.

-Selammm"

29

Yanındaki genç adamla birlikte bir kanepeye oturdular ve çaylarını içmeye koyuldular. Her kafadan bir ses çıkıyor, çocuklar bağrışıyor, insanlar konuşuyordu. Evin içinde elle tutulur şekilde sevinçli bir hava vardı. Sanki bir bayram günüydü ve tüm aile bir araya gelmişti. Sevgi mutlu muydu bilemiyordu, neden anlayamıyordu ki? Tüm hayatı boyunca istediği, beklediği gün bugün değil miydi? Gerçek akrabalarının olduğu bir evde onlarla yiyip içmek... Onlarla gülmek...

İşte şurada oturan ve kuruyemiş tabağını kucağına alıp avuç avuç yiyen şişman adam onun amcası olduğunu iddia ediyordu. Yanındaki, sevimli, şişman ve sarışın kadın yengesi, şurada oynayan çocuklar kuzenleriydi. Onlara kapıyı açan güzel kadın ise onun teyzesinin kızıydı.

3. BÖLÜM

Sevgi, Nilgün ile TV binasına girdi ve onları karşılamaya ge-
len genç kız ile birlikte asansöre doğru yürüdüler.

O anda çok değişik duygular içerisindeydi. Bu binaya girdi-
ğinde Sevgi olduğunu biliyordu. Fakat nasıl çıkacaktı? Kim ola-
caktı? Hayatı değişecek miydi? Yoksa daha mı kötü olacaktı?

Gerekli bazı hazırlıklardan geçtikten sonra yarışmanın yapı-
lacağı stüdyoya alındılar. Sevgi hiçbir şey hissetmiyordu. Ken-
disini zorladı fakat duyguları körelmiş gibiydi. Nilgün seyirciler
bölümüne, o da yarışmacıların oturduğu platforma doğru ilerle-
diler.

Yarışmacılar ve platform o kadar uzaktaydı ki. Yıllarca yürü-
se oraya asla ulaşamayacakmış gibiydi. Yürümeye devam edi-
yordu. Sanki bulutların üzerinde gidiyormuş gibi bir hisse kapıl-
dı. Sonunda, onu karşılayan genç kız, oturacağı yeri gösterdi.
Diğer yarışmacılar da hemen hemen aynı anlarda yerlerine otur-
muşlardı. Dört kişiydiler. Diğerlerinin yüzlerine bile bakamadı.
Bir an heyecan duyduğunu kendisine itiraf etti. Fakat çabuk geç-
ti.

Alkışlarla kendisine geldi. Yarışmanın yakışıklı ve karizmatik sunucusu onlara doğru geliyordu. "Gerçekten çok yakışıklıymış" diye düşündü. Televizyonda defalarca seyretmişti ama yakından çok farklıydı.

Sunucu, yarışmanın kurallarını anımsatıyordu. Canlı olarak yayınlanacağı için hazırlıklar devam ediyordu. Çok az bir zaman sonra yayın başlayacaktı.

Sevgi biraz yan dönüp Nilgün'ü aradı gözleri ile. Arkadaşı ile göz göze geldiğinde sessizce anlaştılar ve tekrar bakışlarını sunucuya çevirdi.

Işıklar sönmüş, canlı yayın başlamıştı. Orkestra çok güzel bir eseri yorumlamaya başlamıştı. Bu yarışmayı pek çok kez TV'den izlemişti. Her defasında farklı bir parça çalıyorlardı. Birden yerinden fırlayıp bağırmamak için kendisini zor tuttu. Bulmuştu sonunda! İşte buydu! Annesinin çok sevdiği ve her zaman söylediği şarkı...

Melodiyi tanımıştı, çünkü çok farklı ve bireysel bir büyüsü vardı. Sevgi'ye göre hiçbir şarkı onun yerini dolduramazdı. Hani sokakta ya da başka bir yerde birisini görür, hoşlanır sonra da kaybedersiniz. Bir daha asla görmeyeceğinizi sandığınız o kişiyi bir gün tanıdık bir çevrede ya da bir dost toplantısında görüverirsiniz. Ne kadar şaşırır ve sevinirsiniz...

31

* * *

Zorlukla sunucunun konuşmasına konsantre oldu. Sorulan soruyu ilk olarak yanıtlayan yarışmacı olmaya hak kazanıyordu. Orkestra arka planda annesinin çok sevdiği ve her zaman söylediği şarkıyı enstrümantal olarak çalmaya devam ederken soru geldi ve Sevgi anında yanıtladı.

Alkışlarla birlikte, bir genç kız onu oturduğu yerden alarak sunucunun tam karşısındaki tek kişilik yere götürdü. Bu kez sevgili arkadaşı Nilgün'ü başını çevirmeden görebiliyordu. Nilgün mutlu bir yüz ifadesi ile orada oturuyordu.

Karizmatik ve yakışıklı sunucu, nerede çalıştığını soruyordu.

-Bir İtalyan şirketinin İstanbul Temsilciliği'nde çalışıyorum efendim.

-Çok genç görünüyorsunuz öğrenci olabileceğinizi düşünmüştüm.

-Aynı zamanda İtalyan Dili ve Edebiyatı 3. sınıf öğrencisiyim.

-Peki, şimdi yarışmamıza geçiyoruz, hazır mısınız? Heyecanlı olmadığınızı görüyorum. Nasıl başardınız bunu?

-Günlerdir kendimi bu yarışma için hazırlıyordum efendim.

Karizmatik sunucunun etkileyici sesi, annesinin her zaman söylediği eseri dinlemesini engelliyorsa da her ikisini de duymak zorunda hissetti kendini. O anda herkesin susmasını ve sadece orkestranın çaldığı o eseri dinlemeyi arzuladı. Bu, onun için yarışmaya girmekten ve kazanmaktan çok daha önemliydi. Ama o anda imkânsızdı tabii ki...

Birden, çok farklı bir duyguya kapıldı, annesinin yanında olduğunu hissetti. Stüdyo sanki bulutlarla kaplanmıştı. Orkestra, o anda annesinin evde iş yaparken adeta bağırarak söylediği şarkıyı çalıyordu, annesi de oradaydı ve ona bakıp gülümsüyordu. Sanki, başaracaksın diyordu. Sevgi, onun gözlerindeki sevgiyi taaa yüreğinin derinliklerinde hissetti. Şans ondan yanaydı artık, biliyordu.

İnsan bazen hayatın kendisini sürüklediği serüvenlerin gerçeğini kavrayamaz. Olaylar iri iri yağan dolular gibi aniden gelir ortalığı kasıp kavururlar. Genel olarak çok sakin bir anda olur. Verdiği zarar ve acı ancak daha sonra her şey bitip ortalık sakinleştikten sonra anlaşılır. Sevgi karmaşık duygular içinde kendini yağan dolunun altında korumasız bıraktı.

İlk soru çok kolaydı. İkinci ve üçüncü de öyle. Salondaki alkışların şiddeti giderek yükseliyordu. Dördüncü soruya gelindiğinde yakışıklı ve karizmatik sunucu Sevgi'ye kazandığı parayı anımsattı. Yarışmanın kuralları gereğince vazgeçmek isteyip istemediğini sordu...

Sevgi sonuna kadar devam edecekti...

-Ben bu yarışmayı kazanmaya geldim!

-Peki biraz kendinizden bahsedebilir misiniz?

-Üç yaşında annemi ve babamı, daha sonra da onbeş yaşımda beni büyüten babaannemi kaybettim. Şu anda karşınızda hayatta yapayalnız olan bir insan oturuyor. Tanıdığım hiç akrabam yok.

-Gerçekten ilginç bu, mutlaka bir yerlerde sizinle kan bağı olan insanlar yani akrabalarınız vardır. Eski fotoğraflar yok muydu? Onlardan yola çıkarak bir şekilde araştırabilirdiniz?"

-Hayır, annemle babamın tek fotoğrafı vardı.

-Gerçekten ilginç bir yarışmacı var karşımızda.

Alkışlarla birlikte sunucu dördüncü soruyu sordu ve daha seçenekler bilgisayar ekranında görünmeden bu soruyu da doğru olarak yanıtladı Sevgi.

Sonra beşinci, altıncı, yedinci ve sekizinci sorular ve yanıtlar geldi. Sunucu yine Sevgi ile sohbete başladı. Kazandığı parayı alıp gidebileceğini ya da devam edebileceğini anımsattı.

Şu anda on bin liranın sahibiydi ve bundan sonraki soruyu yanıtlayamasa bile bu parayı almaya hak kazanmıştı. Sevgi devam edecekti. Hedefi 900 bin liraydı. En büyük ikramiyeyi kazanmak üzere gelmişti buraya. Gerçi yıllardır devam eden bu yarışmada hiç kimse büyük ikramiye olan 900 bin lirayı kazanamamıştı ama...

O kazanacaktı. Para için değil, amacı için istiyordu bu yarışmadan galip çıkmayı. Canlı yayındaydılar ve reklâm arası verilmişti. Sunucu, çok iyi gittiğini ve başarılar dilediğini samimi bir ifadeyle söyledi. Nilgün de o sırada yanına gelmişti. Arkadaşını öptü ve yeniden şans diledi. Sunucuya ise kaşla göz arasında, Sevgi'ye yarışmaya katılmasının gerçek sebebini sormasını istedi.

Sunucu şaşırmıştı. Bu kızların amacı neydi? Bir yarışmaya katılmanın gerçek sebebi ne olabilirdi ki? Para kazanmak değilse neydi? Evlenmek olamazdı herhalde... Karşısındaki genç kız; güzel, cazibeli, akıllı ve kültürlüydü. İstediği genci böyle bir araca gerek olmadan da çok rahatlıkla elde edebilecek durumdaydı.

Neden arkadaşı böyle söyleme gereğini duymuştu? O da aklı başında bir kıza benziyordu. Yarışmanın başında küçük yaşta annesini ve babasını kaybettiğini ve yalnız yaşadığını söylemişti. Acaba bununla ilgili bir şey olabilir miydi?

Yakışıklı ve karizmatik sunucunun aklı karışmıştı. Bu kızı ilk gördüğünde onun diğerlerinden çok farklı olduğunu düşünmüştü nedense. Profesyonel iş anlayışı gereğince duygularını ön plana çıkarmazdı pek. Sezgileri onu asla yanıltmazdı. Bu kız çok farklıydı ve nasılsa sonunda her şey açığa çıkardı.

Yıllardır bu yarışmayı sunuyordu. Duygularını saklamasını çok iyi bilirdi işi gereği. Merak içindeydi. Sonuna kadar soruları yanıtlamasını ve büyük ikramiyeyi kazanmasını istedi. İlk kez bir yarışmacı için böyle hissetmişti!

Yine de canlı yayına geçtiklerinde hislerini gizlemeyi başardı ve maskesini yüzüne yerleştirerek soruları sormaya devam etti. Böyle keyifli bir yarışma her zaman olmuyordu doğrusu. Şimdiye kadar ancak on ikinci soruya kadar bilen çıkmıştı. Büyük ikramiyeyi şimdiye kadar hiç kimse alamamıştı.

Anlaşılan o ki bu kız tüm soruları doğru yanıtlayıp sonuna kadar gidecekti. Kendisine güveni olan, rahat, birikimli bir kızdı. Henüz jokerlerini kullanmamıştı. Böyle devam ederse yarışmayı jokersiz bitirecekti.

-Bundan sonraki soruları gördükten sonra yanıt vermeden vazgeçebilirsiniz. Şimdiye kadar kazandığınız ikramiyeyi alıp gidebilirsiniz. Devam ediyor musunuz?

-Devam ediyorum, benim için bu yarışmaya gelmek önemliydi. Geldim ve yarışıyorum.

-Biliyorsunuz yarışmamızın kurallarında, bundan sonraki bölümde canlı telefon bağlantıları da var. İstediğiniz birisini a-rayıp sorunun yanıtını isteyebilirsiniz. Ya da bizi arayanlar içinden doğru yanıtı bilenlerle paranızı paylaşabilirsiniz.

Bu bölümde canlı telefon bağlantısında soruyu bilen o ana kadar kazanılan paranın yarısını alabiliyordu.

-Benim bir isteğim var. Canlı yayında bizi seyredenlere sesleniyorum. Beni ya da ailemi tanıyan birisi varsa lütfen arasın. Kazandığım tüm ikramiyeyi onlarla paylaşacağım.

-Bu çok riskli bir karar. Çok para kazandınız. Sizi tanıyanlar çıkabilir. Biraz daha düşünün isterseniz.

Yarışma tüm heyecanıyla devam ediyordu. Sevgi 14. soruyu da bilip 600 bin liraya kadar ulaşmıştı. Ama kulağı telefonda olduğu halde arayan kimse yoktu.

-Son bir sorunuz kaldı. Bunu da bilirseniz şimdiye kadar kazanılan en büyük ikramiyeyi alıp gideceksiniz. Ayrıca her TV kanalında yapılan bu tür yarışmaların içinde sonuna kadar giden tek yarışmacı siz olacaksınız. Üstelik yarışmanın bir başka kuralı olarak hiç joker kullanmadan bu soruyu bilirseniz para miktarı bir milyon lira olacak.

-Hiç önemli değil benim için. Ben para için gelmedim ki buraya. Beni tüm ülke izlesin, belki bir tanıyan bilen çıkar ve arar diye geldim.

-Çok ilginç bir yarışmacı ile karşı karşıya bulunuyoruz sayın seyirciler. Son soruyu da soruyoruz.

Fonda sürekli olarak, Sevgi küçücük bir kızken annesinin söylediği şarkı çalıyordu. Bu şarkıyı radyodan dinlediğini anımsadı. Birden aklına geldi, bazen filmlerde olur. Bir olay esnasında müzik yavaştan başlar gitgide yükselir ve hızlanır. Finalde müzikle birlikte olay da çözülür. Yakışıklı ve karizmatik sunucu müziğin uzamasına izin vererek sonunda soruyu sordu:

-Ünlü bir Fransız yazarın ülkemizde de yayımlanan; bir denizcinin, âşık olduğu kızın babasına ait gemiyi kurtarmasını anlattığı eserin ve yazarın adını soruyoruz. Bu eserde imkânsızı başaran denizci, sevdiği kızın evlenip, eşiyle beraber bindiği gemi ile limandan ayrılışını suların oyduğu sandalye biçimindeki kayaya oturarak seyreder ve gemi ufuk çizgisinde gözden kaybolduğu anda yükselen suların altında kalır.

Hızlı bir tempo ile annesinin söylediği şarkı çalarken Sevgi düşünmeye başladı. Biliyorum, biliyorum. Bu kitabı okudum. Hatta annem öyle çok sayfayı çizmişti ki... Eminim ki, çok severek okuduğu bir eserdi. Anımsamaya çalıştı. Evet, genç bir adam vardı, zengin bir armatörün kızına âşık olmuştu. Bir gün kızın babası, gemisinin açık denizde, ada yakınlarında kayaya oturduğunu ve kurtarmasını istemişti. O da bu gemiyi kurtarması karşılığında kızını isteyecekti zengin armatörden. Aylarca denizde kalarak gemiyi kurtarmıştı. Fakat döndüğünde sevdiği kızın bir başkası ile evlenmek üzere olduğunu görmüştü...

Evet, kesinlikle bu romanı okumuştu ve çok sevmişti. Çünkü o annesinin kitaplığındaki kitaplardan biriydi ve çok değerliydi Sevgi için.

Fakat adı neydi bu romanın? Neden beyni ona itaat etmiyordu. Romanın tüm konusunu bilmesine rağmen adı ve yazarı bir türlü aklına gelmiyordu. Hani birisi ile karşılaşırsınız, çok iyi tanıdığınız biridir ve adını çok iyi bilmenize rağmen o anda bir türlü anımsayamazsınız. Üstelik adı ile hitap etmeniz gerekmektedir. Ne kötü bir durumdur bu!

Bu soruda bilgisayarda seçenekler de verilmiyordu. Birkaç isim verilseydi anımsaması çok daha kolay olabilirdi.

Orkestra fonda yavaş tonda annesinin söylediği şarkıyı çalıyordu. Annesi bir melek gibi ona bakarak aynı şarkıyı yüksek sesle söylüyordu.

Programın sunucusu gözlerini dikmiş kırpmadan ona bakıyordu. Ne düşündüğü belirsizdi. Yüzünde hafif bir gülümseme vardı. Sevgi o anda sunucunun, o sorunun yanıtını bilmesini arzu ettiğini yüreğinin taa derinliğinde hissetti.

Salona elle tutulur derecede somut bir sessizlik hakim olmuştu. Müzik susmuştu ve sadece kalp atışı ritmi vardı. Sevgi kendine geldi ve artık yanıt vermesi gerektiğini anladı.

Romanın sayfaları bile gözünün önüne gelmişti. Çok iyi tanıdığı ve sevdiği bir yazardı. Fakat adı bir türlü aklına gelmiyordu. Ne yapmalıydı. Yardım isteyen gözlerle yakışıklı sunucuya baktı.

Yakışıklı ve karizmatik sunucu Sevgi'nin gözlerindeki mesajı almıştı. Bu kıza mutlaka yardım etmeliydi. Ama nasıl? Emindi ki sorunun yanıtını biliyordu.

-Bu eseri anımsadınız mı Sevgi hanım?

-İnanın başından sonuna kadar size konusunu anlatabilirim. Çünkü okudum, üstelik annemin kütüphanesinde bulunan ve onun okuyup da pek çok satırını çizdiği bir kitaptı.

Sunucu, Sevgi'nin kitabı okuduğunu söylemesine sevinmişti. Zaten emindi de. Nasıl oldusya bu kız ile aralarında garip bir telepati kurulmuştu. Kızın düşüncelerini okuyordu. Yardım istiyordu kız. Evet etmeliydi, ama nasıl?   _37_

-Manş Denizi'ndeki Guernesey Adası'na sürgün edilen yazarın aynı zamanda çok ünlü iki kitabı daha yayımlandı ülkemizde. Onlar da klasik eserler arasında ilk sıralarda yer almaktadır. Din, toplum ve doğa konusunda yazılmış eserleri aslında birer şaheserdir. Size sorduğumuz soru, üçlemenin sonuncu kitabı olup sürgünde yazmıştır. Kitapların isimlerini söyleyemem, çünkü ilk ikisi çok ünlüdür. Ama sizin her üçünü de okuduğunuzdan eminim.

Sevgi birdenbire anımsadı.

-Evet, Evet!.. TEŞEKKÜRLER!..

dedi, içinden sunucuya...

İlki, din konusundaki eser, Notre-Dame'ın Kamburu, ikincisi; toplum konusundaki ünlü Sefiller romanı ve üçüncüsü doğa konusundaki ise işte bu sorulan sorunun yanıtı, doğada, denizlerde geçen eserdi.

Sevgi, yanıt vereceğini söyledi. Fondaki kalp atışı ritmi birden sustu.

Sunucu ise endişelendi. Acaba doğru yanıtı anımsayabilmiş miydi?

Orkestra şimdi hızlı bir şekilde annesinin sevdiği şarkıyı çalıyordu.

Gerilim son noktaya varmıştı.

-Eserin adı: "Deniz İşçileri", yazarı ise: "Victor Hugo"...

-Emin misiniz?

-Evet, kesinlikle eminim.

Müzik yine yavaşlamış ve kalp atışlarını andıran bir ritme dönüşmüştü. Heyecanla bekleyen Sevgi gong sesiyle kendine geldi. Yarışma bitmişti işte. Son soruyu da bilmişti. Salondan müthiş bir alkış ve çığlık sesleri geliyordu. Nilgün ona doğru koşuyordu. Alkışlar, müzik, konuşmalar...

Salondaki ve ekran başındaki seyirciler, karşısındaki yarışmacının bu soruyu bilmesi ile sunucunun ne kadar rahatladığını gördüler. Sunucunun yüzündeki profesyonel maske bu duyguyu ve heyecanını saklamasına yetmemişti ne de olsa o da bir insandı.

Her kafadan bir ses çıkıyordu. Nilgün zorlukla arkadaşının yanına ulaşmıştı. Birbirlerine sarılmış, Nilgün sevinçten Sevgi ise uğradığı hayal kırıklığından ağlıyorlardı.

Birden kulakları uğuldamaya başladı. Orkestra bir kez daha annesinin en sevdiği ve devamlı söylediği eseri bu kez yüksek perdeden çalmaya başlamıştı.

Ayaklarının altından yer kayıyordu. Bir an için bulutların üzerinde uçarcasına gidiyormuş gibi hissetti. Annesi radyoda çalan esere eşlik ederek şarkı söylüyordu. Ellerini "gel bana" der gibi ona uzatmıştı ve gülümsüyordu. Aynı zamanda ismini söyleyerek onu çağırıyordu. Sevgi ona doğru gitmek istedi. Gitmeliydi. Bu şarkı annesi ile bütünleşmişti ve sadece Sevgi için söylüyordu. İki elini de ona uzatmıştı. Annesine doğru bir hamle yapmak istedi fakat ayakları onu taşıyamayacak kadar güçsüzdü. Birden her taraf karardı. Annesinin şarkısı kulaklarında çınlarken dipsiz bir kuyunun içinde kayboldu.

* * *

Gözlerini açtığında ilk olarak yakışıklı sunucuyu gördü. Yanında Nilgün duruyordu. Beyaz gömlekli iki adamdan genç olanı bileğini tutuyordu. Birden nerede olduğunu anımsayamadı. Sonra birden her şey aydınlandı.

-Arayan oldu mu beni?

Nilgün olumsuz bir baş işareti yaptı ve ağlamaya başladı. Arkadaşının bu haline çok üzülmüştü. Doktorlar onun yarışmada büyük ikramiyeyi kazandığı için şoka girdiğini sanmışlardı. Dile kolay, hiç joker kullanmadığı için 900 bin lira yerine tam 1 milyon lira ikramiye kazanmıştı. Onlara arkadaşının neden bayıldığını bir türlü anlatamıyordu. Korktuğu başına gelmeden babasını çağırmayı düşündü.

TV binasında tüm telefonlar kilitlenmişti. Cep telefonlarını, güvenlik gereği, girişte alıkoymuşlardı. Bir yerden babasına ulaşmalıydı. Yakışıklı sunucunun elini tuttu ve tüm sevimliliğini takındı.

-Ne olur bize yardımcı olun. Babamı aramam gerekiyor. Gelsin bizi alsın.

-Şu anda onu bırakamam. Genel Müdür buraya geliyor. Birazdan canlı yayına çıkacağız.

-Arkadaşım şu anda canlı yayına çıkacak durumda değil ne olur izin verin de gidelim.

-Ama tüm ülke bizim kanalı seyrediyor, reyting tavanda. Onu bırakamam, siz isterseniz gidebilirsiniz.

-Bakın, arkadaşım bu yarışmaya neden katıldı biliyor musunuz? Ne para ne de şöhret için. Onun çok daha masum bir isteği vardı. Yıllardır hiç bilmediği akrabaları bu yolla ortaya çıkar belki, diye katıldı programınıza. Cep telefonumu almama izin verin ne olur.

-Pekala, gelin benimle.

Sunucu ve Nilgün aşağıya indiler. Sevgi'nin yaptığı konuşma yüzünden, binanın tüm telefonları kilitlenmişti. Nilgün düşündü, arkadaşı acaba arzusuna ulaşmış mıydı? Arayanlar sadece tebrik için mi arıyorlardı? Yoksa içlerinde Sevgi'yi tanıyanlar var mıydı?

Sunucu normal telefonlardan ümidini kesince kendi cep telefonunu Nilgün'e verdi. Nilgün hemen babasını aradı. Babası da o anda oraya doğru geldiğini ve neredeyse kapıda olduğunu söyleyince Nilgün bir çığlık attı ve kapıya koştu. Sunucu da arkasından...

-Beni bekleyin lütfen, babanızı kapıdan bırakmazlar.

Nilgün mecburen bekledi ve kapıda babasını görünce koşup sarıldı. Babası çok mutluydu. Hemen yukarıya Sevgi'nin yanına çıktılar. Sevgi ayağa kalkmış ve tekrar canlı yayına çıkarılmak üzere hazırlanıyordu.

Sami, Sevgi'yi yıllardır tanırdı. Kızının ilkokuldan bu yana arkadaşı olan bu sevimli ve akıllı kız, kendi kızı gibiydi. Sık sık onu evinde görmeye alışıktı. Onu kendi kızlarından ayırmazdı. Sezgileri ona yolunda gitmeyen bir şeyler olduğunu söylüyordu. Sevgi, yardım ister gibi bakıyordu. Oysa yarışmada en büyük para ödülünü, dile kolay tam bir milyon lira ikramiye kazanmıştı. Müthiş bir başarıydı! Şimdiye kadar kazanılan en büyük paraydı. Mutlu olması, sevinçten havalara uçması gerekiyordu.

Sunucu Sami beyi bir kenara çekip sordu:

-Sevgi hanım ile yakınlığınız nedir? Akrabası mısınız?

-Hayır, ben sadece arkadaşının babası ve aynı zamanda patronuyum.

-Peki siz de canlı yayına katılmak ister misiniz?

-Hayır, ben onu burada bekleyeceğim. Gerekirse katılırım. Şu anda gerek duymuyorum.

TV binasında bir kargaşa hüküm sürüyordu. Telefonlar devamlı olarak çalıyor, insanlar koşuşturuyordu. Programın yapımcısı ve sunucusu devamlı olarak birileriyle konuşuyor ve talimat veriyordu. Kanalın genel müdürü de gelmişti. Sevgi yalnız görüşmek istediğini söyledi, fakat o reddetti. Vakit yoktu ve hemen canlı yayın başlıyordu. Bu fırsatı kaçıramazlardı. Şu anda tüm ülkede milyonlarca seyirci onları izliyordu. Bundan yararlanmaları gerekiyordu. Kız da kötü görünüyordu, ama ne olursa olsun canlı yayına çıkaracaktı onu.

Bir anda tüm gözler Sevgi ile genel müdürün üzerine çevrildi. Sevgi'nin yanına sunucu oturmuştu ve konuşmayı yönlendirme görevini üstlenmişti.

Sevgi artık dönüşü olmayan bir yola girmişti. Kendisini çeken kameraya doğru döndü...

Bir karabulut hızla yaklaşıyordu ve içinde müthiş bir fırtınayı da beraberinde getiriyormuş gibi görünüyordu. Kendisini fırtına ve yağmur altında korumasız ve yapayalnız hissetti. Yüreğinde bir baskı vardı. Burgaç gitgide hızlanarak dönüyor ve içini acıtıyordu.

Son birkaç gün içinde olanlar ışık hızıyla beyninde dans ediyordu. Bugünlerde çok popüler bir yarışmaya katılmaya hak kazanması, bir bilgisayara sahip olması, daha yarışmanın başında orkestranın çaldığı eser, (ki bu eser, yıllardır bulmaya çalıştığı, annesinin söylediği şarkıydı) sonunda yarışmayı kazanması...

Kendisinden başka herkes, yarışmayı en büyük ödülü alarak bitirmesi ile ilgileniyordu. Oysa o, buraya gelmekteki amacını bile unutmuştu. Güya bu yarışmanın sonunda onu tanıyan birileri çıkacak ve onu arayacaklardı. Böylece onun da kan bağı olan gerçek akrabaları olacaktı!

Sevgi, yanında oturan sunucu ile genel müdüre baktı. Her ikisi de hayatından son derece memnundu. Nasıl olmasınlar? Böyle bir fırsat her zaman ellerine geçmiyordu ki. Keşke Sevgi de onlar kadar mutlu olabilseydi. Ülke şartlarına göre inanılmaz büyüklükte bir para kazanmıştı. Bu kadar büyük miktardaki para mutluluk getirir miydi?

Birden kendisine yöneltilen soruyu anlayamadığını fark etti. Ne sormuştu acaba sunucu? Bir soru da genel müdürden gelince onu yanıtladı ve zaman kazanmaya çalıştı. Buradaydı, canlı yayındaydı ve tadını çıkarmalıydı. Birden neşesi yerine geldi. Bu başarısına sevinmeli ve ne yapacağını daha sonra düşünmeliydi.

Nilgün ve babası biraz ilerde ayakta duruyorlardı. Onlara baktı ve gülümsedi. Sevgi'nin yüzündeki ifadeyi görünce rahatlamışlardı. Sevgi, televizyonda canlı yayındaydı. Bu sabah kalktığında aklına gelen ilk düşünce bugün hayatının değişeceği idi. İşte hayatı değişmişti!

İnsanların hayatında genellikle baskın olan bir düşünce vardır. Gece yatarken son ve sabah kalktığınızda ilk aklınıza gelen düşünce... Âşık olduğunuzda da böyledir. Uykuya dalarken son düşündüğünüz, sabah uyanır uyanmaz da ilk aklınıza gelen sevdiğiniz insandır.

Şu anda tüm ülke onları seyrediyordu. Sevgi artık ünlü bir kızdı. Bir daha asla eski Sevgi olamazdı. Sokağa bile rahat çıkamayacaktı artık. Doğru mu yapmıştı acaba bu yarışmaya katılmakla. Üstelik de tüm soruları doğru yanıtlayıp ödül olarak konulan paranın tümüne sahip olmuştu. Ama neden o da diğerleri kadar mutlu değildi. Çevresindeki insanlar mutlu gözüküyorlardı. Genel müdür, sunucu, arkadaşı Nilgün ve babası, kameramanlar, rejisörler ve diğer çalışanlar...

Sevgi'ye gerçekten sevgi dolu gözlerle bakıyorlardı. Sadece Sevgi onlar gibi mutlu değildi. Çünkü çok değişik duyguların etkisi altındaydı, bir konuşma yapmak zorunda hissediyordu. Genel müdürün sorusunu fırsat bilip başladı.

-Sevgi hanım, duygularınızı kısaca dile getirebilir misiniz? Tüm Türkiye bunu bekliyor. Telefonlar kilitlenmiş durumda. Sizin hakkınızda bilgi almak için herkes nefesini tuttu ve size yöneldi."

Sevgi sonunda beklediği fırsatı ele geçirmişti:

-Merhaba, ben Sevgi. Biliyorsunuz '900 BİN SAHİBİNİ A-RIYOR' yarışma programına katıldım ve şans eseri tüm soruları yanıtlayıp büyük ödülü almaya hak kazandım. Telefonların kilitlendiğini söylediler. Bana gösterdiğiniz ilgi için teşekkür ederim. Size kısa bir öykü anlatacağım. Sonuna kadar dinlemenizi ve sizlerden sözümü kesmemenizi rica ediyorum.

Bundan yirmi bir yıl önce, genç bir bankacı kız ile başka bankada çalışan genç bir delikanlı tesadüfen karşılaşıp âşık olurlar ve evlenirler. Genç kızın annesi ve babası ölmüştür. Delikanlının da babası ölmüş olduğu için sadece annesi vardır. Yeni evliler ayrı bir ev açarlar. Sonra çiftin bir kızları olur. Son derece sıcak ve mesut bir yuvaları vardır. Küçük kız üç yaşına geldiğinde annesi ve babası bir trafik kazasında ölürler. Kızı babaannesi yanına alır ve büyütür. 15 yaşına geldiğinde babaannesi de ölür ve tek başına yaşamaya başlar. Sonra bir yarışmaya katılır ve..."

Sevgi'nin gözlerinden isteği dışında yaşlar akmaya başladı. Genel müdür ve sunucunun da gözleri dolmuştu. Elle tutulur bir hüzün etrafı sarmıştı. Nilgün koşup arkadaşına sarılıp hıçkırmamak için kendisini zor tutuyordu. Babasına sarılıp ağlamaya başladı.

-...tüm soruları bilerek büyük ödülü kazanır. Ama kesinlikle mutlu değildir. Çünkü para onun için önemli değildir. Önemli olan onunla kan bağı olan insanların yakınlığıdır. Daha önce sadece babaannesinin doldurduğu boşluğu dolduracak yakınlarını aramaktadır. Onu çok seven arkadaşları, komşuları, dostları ve iş arkadaşları vardır ama onlar yetmez. O küçük kız, kendisinin ait olduğu büyük aileyi aramaktadır. Babaannesi bu konuda ona hiçbir bilgi bırakmamıştır. Elinde annesi ile babasına ait eski bir fotoğraftan başka bir şey de yoktur.

Bu sırada o fotoğrafı çıkarır. Kamera zoom yaparak TV ekranından fotoğrafı gösterir.

-İşte o küçük kız benim ve hayatta yapayalnızım, bu paranın benim için hiç değeri yok. Eğer bulursam bu kazandığım parayı akrabalarımla paylaşacağım. Sizlere sormak istiyorum şimdi. İçinizde onları tanıyan var mı? Annemle babamın çalıştıkları bankaların adını bile bilmiyorum. Babaannem nedense bana söylemedi. Onlarla ilgili hiç bilgim yok. Annemin ya da babamın bankadan arkadaşlarına sesleniyorum. Lütfen beni arayın.

Sevgi hıçkırıklarla sarsılıyordu. Sami bey işaret etti. Yayını kesip reklâm verdiler. Sevgi Sami beyin boynuna atıldı.

-Ne olur beni götürün buradan lütfen.

Genel müdür ve yapımcı hemen koştu.

-Böyle gidemezsiniz. Daha yayındayız...

-Ne kadar acımasızsınız böyle. Biz gitmek zorundayız. Bu kız çok genç ve çok yüklendiniz ona... Daha sonra yine görüşürsünüz.

Sami, Nilgün ile beraber Sevgi'yi ortalarına alıp adeta sürüklercesine götürdüler. Kapıya yaklaştıklarında dışarısının gündüz gibi aydınlık ve kalabalık olduğunu gördüler. Tüm gazeteciler ve diğer televizyoncular oradaydılar. Sevgi'nin başı dönmeye başlamıştı. Sami bey de ne yapacağını şaşırmıştı, fakat bu konularda tecrübeliydi. Hemen geri döndü ve genel müdürden onları arka kapıdan çıkarmasını rica etti. Arabasının anahtarını bir görevliye verdiler ve arka kapıya kadar getirdi. Kaçar gibi çıkıp arabaya bindiklerinde artık rahatlamışlardı. En azından şimdilik.

Son hızla eve doğru yola koyuldular. Eve yaklaştıklarında Nilgün'ün annesi telefonda kötü haberi vermişti bile. Sevgi'nin evinin bulunduğu sokak araba doluydu. Gazeteciler ve televizyoncular tarafından işgal altına alınmıştı ve o sokağa girmeleri imkânsızdı. Sevgi'nin evi Nilgün'lerin evine çok yakındı ama arabayı tanıyorlardı ve oraya giremezlerdi.

Sami hemen her zaman işleyen "B Planı"nı devreye soktu. Arabasını şirketin parkına bırakıp taksi durağından bir taksi çağırdılar. Taksiden Nilgün'lerin evinin önünde inip kendilerini içeri attılar. Sevgi'nin sokağına uzaktan baktılar. Genç adamlar ve kızlar ellerinde kameralar ve fotoğraf makineleri ile bekleşiyorlardı.

Şimdilik tehlikeyi atlatmışlardı. Ama bu böyle olmayacaktı. Oturup bir karar aldılar. Sami, kızları bu gece gizlice bir yere yerleştirmeliydi. Yoksa kurtulamazlardı bu medya ordusundan.

Hemen alelacele bir bavul hazırladılar ve bir taksi çağırdılar. Şirketin otoparkından arabayı alıp Nilgün'lerin yazlık evine doğru yola koyuldular. Yolda büyük bir marketin önünde durup alışveriş yaptılar. Bir hafta yetecek kadar yiyecek almışlardı. Sonunda eve vardılar. Sami onları orada bırakıp gitti. Bir şey olursa telefonla onu arayacaklardı.

Nilgün televizyonu açtı ve korka korka biraz önce kaçar gibi ayrıldıkları kanalı buldu. Genel müdür, yapımcılar ve sunucu hâlâ konuşuyorlardı. Canlı bir telefon bağlantısı vardı. Nilgün birden bağırdı.

-Sevgi, koş buraya gel, seni arıyorlarmış.

-Nereden arıyorlarmış?

-Bak canlı yayında birisi var babanın arkadaşıymış.

Sunucu:

-Evet, biz Sevgi ile görüştükten sonra sizi onunla konuşturacağız.

dedi ve bir başka canlı bağlantıya geçti.

-Evet efendim. Demek ki siz de Sevgi hanımı tanıyorsunuz.

-Evet biz onun akrabasıyız.

-Peki nesi oluyorsunuz?

-Yakın akrabasıyız dedim ya. Bana onun adresini verin.

-Adresini veremeyiz siz adresinizi yazdırın biz sizi ararız.

Sevgi televizyonun karşısında büyülenmiş gibi oturuyordu. Meğer, ne çok akrabası varmış da haberi yokmuş. Hepsini görmek istedi birden. Hepsine sarılmak ağlamak istedi. Ayrıca bunca yıldır nerede olduklarını sormak...

-Şu müdürü arayıp beni arayanların telefonlarını alalım mı?

diye Nilgün'e seslendi. Şu anda hepsiyle birden konuşmak istiyordu.

-Birkaç gün beklemeni tavsiye ederim.

-Nedenmiş o?

-Beklemekte yarar var, sen beni dinle.

Sevgi, yemekte ne yedi, neler konuştu arkadaşıyla hiç bilmiyordu. Sonunda yatmaya karar verdiklerinde çok sevindi, çünkü yalnız kalmaya ve düşünmeye ihtiyacı vardı. Beyninde fırtınalar kopuyordu ve uyumak istiyordu.

* * *

Yatağa uzanıp düşünmeye başladı. Ne müthiş bir gündü! Sabah kalktığı ve TV stüdyosuna gittiği andan başlayarak gözünün önüne getirmeye çalıştı. Yarışmaya gitmişti ve kazanmıştı. Ama o anda aklına hemen annesinin her zaman söylediği şarkı geldi. Yıllardır ilk kez duymuştu. Adını bilemiyordu. Yarışma salonundaki orkestra enstrümantal olarak çalıyordu o anda. Onlara sormalıydı ve adını öğrenmeliydi bu eserin. Onun için çok değerliydi, çünkü annesinin en sevdiği şarkıydı. Sevgi küçükken radyoda sık sık çalınırdı ve annesi de yüksek sesle eşlik ederdi

O yakışıklı sunucu ve yapımcının cep telefonu numarasını almadığına çok üzüldü. Şu anda onu arayıp da bu eserin adını sormak için içinde müthiş bir istek duyuyordu. Ama bu düşünce bile çok saçmaydı. Neyse şarkı işini daha sonraki bir tarihe erteleyip yarışmayı düşündü.

Yıllardır ülkede her televizyon kanalında bu tip yarışmalar yapılıyordu ve zaman zaman da büyük ikramiyeler kazananlar oluyordu. Bir yarışmanın sorularını en sonuncuya kadar bilip büyük ikramiyeyi kazanmıştı. Bu, ilk kez gerçekleştiği için Sevgi şu anda ülkenin en çok merak edilen kişisi olmuştu.

Çok uzun yıllar boyunca bayramlarda duyduğu kimsesizlik duygusunu düşündü. Babaannesi ona bayramlıklarını giydirir, kendisi de en yeni elbisesini giyer, bir sürü yemek yapar ve beklerlerdi. Kimi ya da kimleri?..

Bayram sabahları babaanne kapıyı açıp da karşısında çok sevdiği bir komşusunu ya da mahalleden birkaç çocuğu görünce uğradığı hayal kırıklığını onlardan gizleyebilirdi, ama Sevgi'den asla gizleyemezdi. Sevgi hissederdi ki, o her bayramda birisini ya da birilerini bekliyordu. Asla ona açılmazdı. Hatta babaannesinin, başka çocuğu olup olmadığını dahi bilmiyordu. Ne kadar uğraşırsa uğraşsın söyletememişti. Bazen tatlılıkla, bazen çok usta bir şekilde sormuştu sorularını ama yanıt yoktu. Babaanne ısrarla onların hiç kimsesi olmadığını ve kimseyi beklemediğini söylüyordu.

Oysa Sevgi yüreğinin taa içinde bir yerlerde hissettiği gibi biliyordu ki, babaannesinin beklediği birileri vardı. Ama neden sadece bayramlarda bekliyordu babaannesi? Neden normal günlerde o beklenti içinde değildi? Babaannesinin yüreğinde de bir yara vardı. Ama Sevgi ile hiç paylaşmamıştı!

47

* * *

Annesi saçlarını okşuyordu. Dünyanın tüm müzik aletleri bir araya gelmiş, annesinin en sevdiği şarkıyı çalıyor ve onlar da eşlik ediyorlardı. Annesinin sesi ne kadar da güzeldi. Ya elleri? Ne kadar yumuşaktı ve ne güzel okşuyordu onu. Ne kadar da hoş kokuyordu. Derin derin bu kokuyu içine çekti.

4. BÖLÜM

Nilgün ona sesleniyordu. Hayır seslenmiyor adeta bağırıyordu. Sevgi uyku sersemi bir durumda yatağından fırladı.

-Ne bağırıyorsun yaa? Harika bir rüya görüyordum, mahvettin.

-Kalk, çabuk bizi buldular.

-Kim buldu bizi? Kaybolmuş muyduk?

-Kalk, babam bizi almaya gelecek. Birazdan burada olur.

Sevgi birdenbire her şeyi anımsadı. Dün müthiş bir gündü. Yarışma, annesi... Birden ağlamaya başladı. Nilgün'e sarıldı.

-Nilgün ben bunalıma girdim galiba? Bu yarışmayı ve en büyük ikramiyeyi kazandım ama çok mutsuzum şu anda? Nedenini de bilemiyorum? Kafam karmakarışık. Beni yalnız bırakma ne olur. Bana yardımcı ol.

-Canım arkadaşım, ben seni asla yalnız bırakmam. Sen kimsenin başaramadığı bir işi başardın ve bu yarışmayı kazandın. Ama kafanda daha önce başka bir amaç belirlediğinden buna sevinemiyorsun. Akrabalarını bulma fikrinde hâlâ ısrarlı mısın?

-İnan bana hiçbir şey düşünemiyorum. Bilemiyorum. Ben aslında çok uzun süredir aradığım bir şarkıyı buldum.

-Bu da ne demek Sevgi sen ne diyorsun, ne şarkısı?

-Nilgün, hani sana her zaman bahsederim ya, ben küçükken annemin radyodan dinlediği ve eşlik ettiği bir şarkı vardı. Hani hep onu tekrar duyabilmek için yabancı radyoları dinlerdim. Onun ne olduğunu buldum.

-Nerede buldun? Sen dün yarışmaya katıldın, kendine gel, konsere gitmedin ki.

Nilgün endişelendiğini saklayamadığı bir ses tonuyla konuşuyordu artık.

-Tam yarışma başladığında orkestra bu eseri çalıyordu. Benim kulağım hep o parçadaydı ve inanmayacaksın ama annem de sanki oradaydı ve bana soruların yanıtlarını fısıldıyordu.

Nilgün ne söyleyeceğini bilemedi bir an. Çok şaşırmıştı. Karşısında duran ve uykusundan yeni uyandığı halde yine de çok sevimli olan bu kız onu her zaman şaşırtmayı başarıyordu. Ruhunda yine fırtına yüklü bulutlar hızla şekil değiştiriyorlardı. Bunu tanıyordu Nilgün, hemen olaya el koyması gerekiyordu. Şimşekler çakmadan Sevgi'yi evden çıkarmalıydı.

-Hadi, hemen hazırlanıp çıkmamız gerekiyor. Bu konuyu biraz askıya al. Daha sonra müsait olduğumuzda, söz veriyorum bunu uzun uzun konuşup tartışacağız.

Sevgi kalktı, önce banyoya sonra da mutfağa gitti çabucak bir şeyler atıştırdı ve hazırlandı. Bir rüya görmüştü ama o anda tam olarak anımsayamıyordu. Annesini ne kadar da çok özlüyor ve arıyordu.

Hayat düne kadar çok acımasız davranmıştı ona, ama şansı dönmüştü artık. Çok kişiye nasip olmayacak bir servete kavuşmuştu. Bu servet aslında umurunda bile değildi. Sadece, amacını gerçekleştirmek için bir araçtı.

Çok büyük bir ailesi olduğunu hayal etmeye başladı. Bir bayram gününü düşledi. Sabah erkenden kalkıp giyinmiş ve annesi ile babasının elini öpmüştü. Ablası, ağabeyi ve küçük kız kardeşi ile bayramlaşmış ve kahvaltı için anneannesine gitmek üzere yola çıkmışlardı. Anneannesinin evi çok kalabalıktı. Dayıları, teyzesi, eşleri ve çocukları ile pek kalabalık bir şekilde sofraya oturmuşlardı. Onlar da gelince hep birlikte kahvaltılarını etmişlerdi. Daha sonra, babaannenin evine gitmek için kalkmışlardı. Orası daha da kalabalıktı. Çünkü babasının akrabaları da hatırı sayılır derecede kalabalıktı. Amcaları, halaları, eşleri ve çocukları hatta torunları hepsi oradaydılar. Bir curcunadır gidiyordu.

Öğlen yemeği için sofraya oturduklarında Sevgi, mutluluğun tablosu bu olsa gerek diye içinden geçirdi. İşte! Tüm aile bir arada ve mutlu!

Nilgün kim bilir kaçıncı kez Sevgi'yi dürtüyordu.

-Haydi, lütfen ne oluyor sana böyle bugün çok tuhafsın.

-Ayy! Sen de bugün beni hiç rahat bırakmıyorsun. Rüyamı yarıda böldüğün gibi hayalimi de mahvettin.

-Kızım şimdi hayal kurmanın yeri ve zamanı değil. Gerçekçi ol, dışarıda başka bir hayat seni bekliyor. Haydi ona doğru koşalım. Bakalım neler getirecek sana bu yeni gün?

-Çok şey getireceği şimdiden belli de benim esas merak ettiğim nokta, benden neler götüreceği?

Sevgi ve Nilgün hazırlanıp kendilerini arabada bekleyen Sami'ye doğru yürümeye başladılar.

Hayat sürekli olarak akar, insanlar da boyun eğer. Her gün pek çok şey yaşanır. Bazen yaşamın sessiz çarkları o kadar hızlı döner ki insan bir olayla başka bir olay arasındaki farkı, dünle bugün arasındaki bağlantıyı seçemez. Sevgi işte o anda yüreğinin derinliklerinde hissetti ki, bir daha asla bu kapıdan çıkan kız olmayacaktı.

Acaba Sevgi o gün değişik bir karar alsaydı ne olurdu? Örneğin TV istasyonuna gitmeyip evde otursaydı. Yine hayatı değişir miydi?

Sami, biraz gergin ve düşünceliydi. Kızlarla hiç konuşmadı, sadece şirkete şöyle bir uğrayacağını söyledi ve şirketin parkına girdiklerinde "siz arabada oturun" dedi.

Sevgi birdenbire hayatının değiştiğini anladı.. Belki de bir işi olmayacaktı. Önlerinde uzanan yüksek binaya baktı, belki de artık bu şirkette çalışamayacak ve okulu da yarım kalacaktı. İnsanlardan hep kaçacak mıydı böyle. Hep birileri onun hayatını takip edecekti. Hayat ne kadar acımasızdı? Birdenbire, bir başka gerçeğin daha farkına vardı ki artık onun çok parası vardı ve zengindi. İnanılmayacak kadar büyük bir paranın sahibiydi o... Şimdi bir de işi bu yönünden düşünmesi gerekiyordu.

Bu para ile tüm düşleri gerçek olacaktı. Yıllardır yaptığı planlar artık ona çok yakındı. Kısa bir süre sonra isteklerine kavuşmuş olacaktı. Bir milyon lirası vardı. "Para mutluluk getirmez" Bu söz ne kadar da doğruydu. İşte binlerce liraya sahipti ama yine de mutsuzdu. Yüreğinde öylesine büyük bir yara vardı ve bir burgaç içinde öylesine hızla dönüyordu ki yarasından kan yerine ıstırap damlıyordu.

Bu yarışma programına katılmasa mıydı acaba?

Birden Nilgün'ün sesiyle kendine geldi:

-Niye daldın böyle, paralarını mı düşünüyorsun?

-Aynen öyle, nasıl bildin?

-Seni de sardı demek ki bu büyük ikramiye sonunda...

-Ben ne yapacağım bu kadar çok parayı, babandan yardım isteyelim. O, bir yol gösterir elbette.

-Tabii ki gösterir canım arkadaşım. Ama baksana o da bugün biraz düşünceli görünüyor.

Sami göründüğünde yüz ifadesi değişmişti. Gülümseyerek kızların içinde oturduğu arabasına bindi.

-Evet güzel hanımlar artık gidebiliriz.

TV binasında onları kalabalık bir odaya aldılar. Sami, öncelikle çekime katılmak istemediğini belirtti. Zaten ortada kamera görünmüyordu. Bulundukları yer bir toplantı odasına benziyordu. Çekim yapılmayacaktı.

Sevgi'yi bir koltuğa oturttular bir yanında Sami beye diğer yanına da Nilgün'e yer gösterdiler. Diğerleri de onların karşılarına gelecek bir şekilde oturdular.

Sanki bir savaş başlayacak gibiydi. İki safa ayrılmışlardı. Bir tarafta Sevgi ve taraftarları diğer tarafta ise TV yöneticileri. Aralarında o karizmatik sunucu yoktu. Sevgi'nin gözleri kendisine nedense saçma gelen bir merakla onu aradı.

Yetkili bir kişi olduğu tavırlarından anlaşılan ve tam karşısında oturan Olcay, Sevgi'ye bir soru yöneltti:

-Yarışmadan sonra duygusal bir konuşma yaptınız ve akrabalarınızı aradığınızı, bulursanız paranızı onlarla paylaşacağınızı söylediniz. Bu konu üzerinde çok düşündüm. Sizi çok rahat kandırabilirler. Çünkü, çok veri yok elinizde, sadece isimler ve küçük bir fotoğraf. Biliyorsunuz bu ülkede aynı ismi ve soyadı taşıyan hatta anne ve babasının isimleri bile aynı olan çok insan vardır. Gerçekten emin misiniz akrabalarınızı bulmak istediğinizden? Bu yarışmaya sadece bu amaçla katıldığınız doğru mu? Bu soruya vereceğiniz yanıt benim biraz da kişisel merakımı giderecek. Çok güzel ve kültürlü bir genç hanımsınız. Üstelik şu anda, hatırı sayılır bir servetin sahibisiniz. Siz ise bu serveti hiç tanımadığınız insanlarla paylaşmayı düşünüyorsunuz. Şu anda da aynı fikirde misiniz?

Sevgi böyle bir soruyu bekliyordu aslında hiç düşünmeden yanıt verdi.

-Evet, yine aynı fikirdeyim. Yarışmaya katılmaya karar verdiğim andan itibaren bu düşüncedeydim, yarışma sırasında da bu düşüncedeydim, şu anda da aynı düşüncedeyim ve değiştirmeyi de hiç düşünmüyorum. Akrabalarımı bulmama yardımcı olursanız asıl o zaman ben yarışmayı kazanmış olacağım. Çünkü esas amacım buydu.

"Size bir teklifte bulunmak istiyorum. Sizin akrabanız olduğunu iddia eden o kadar çok insan aradı ki bizi, telefonlar kilitlendi. Canlı yayında bu kişileri sizinle karşılaştırmak ve gerçekten akrabanız olup olmadığını araştırmak istiyorum tabii ki siz izin verirseniz."

"Ben hazırım ama sizin de bildiğiniz gibi elimde tek bir fotoğraftan ve babaannemin anlattığı geçmişimden başka bilgi yok."

"Ben bir ekip kurarak gerekli araştırmayı yaptıracağım. Kısa bir süre sonra da sizi canlı yayında akrabanız olduğunu iddia eden kişilerle karşılaştıracağım."

"Konu ile ilgisi yok ama size bir soru sormak istiyorum. Yarışma anında orkestranın çaldığı bir eserin adını öğrenmek istiyorum. Sağken annemin radyodan dinlediği ve eşlik ettiği bir şarkıydı bu. Ben çok uzun yıllardır bu eserin adını öğrenmek istedim fakat bir türlü bulamadım. Kaderim bana bir oyun oynadı ve tam yarışma anında bu eseri dinletti. O anda tamamen annem ile beraberdim biliyor musunuz? Çünkü o şarkıyı söylüyordu ve bu bir işaretti. Annem bana tüm soruların yanıtlarını fısıldadı. Hepsi de doğruydu..." 53

Olcay, duygularını çok iyi saklayabildiğini sanırdı ama şu anda şaşkınlığı yüzünden okunuyordu. Bu kız çok aklı başında görünmüştü oysa. Neler söylüyordu böyle? Keşke yanlarına bir de psikiyatr alsalardı. Kızın ruh durumunu incelemenin tam sırasıydı işte. O anda karar verdi. Programa mutlaka bir psikiyatr da katılmalıydı. Hem Sevgi'nin hem de akraba olduğunu iddia eden insanların psikolojik durumlarını incelemek için gerekliydi bu.

Ona hak veriyordu. Bu kız çok acı çekmiş olmalıydı. Annesini ve babasını çok küçükken kaybetmiş olması, babaannesi tarafından büyütülmüş olması ve tanıdığı

hiçbir akrabasının olmaması, her zaman rastlanılmayan bir durumdu ama daha kötü durumda olanlar da vardı kuşkusuz.

Sevgi çok hassas bir kızdı. Düşleri vardı ve yanıldığını pek sanmıyordu ki düşleri ile gerçekleri bazen karıştırıyordu. Annesinin dinlediği ve sık sık söylediği şarkı ile yarışmadaki sorulara annesinin yanıt verdiğini söylemesi... Önce ruh hekimi arkadaşı ile bu konuları görüşmeli ve ondan sonra bu kızla tekrar konuşmalıydı.

Olcay, Sevgi'nin ısrarlı bakışları ile kendine geldi ve konuşmaya başladı:

-Bu konuyu araştırıp sizi bilgilendireceğim. Ayrıca benim teklifimi düşünmenizi rica ediyorum. Yarın sizi buraya aldıracağım ve bu kez canlı yayına birlikte çıkacağız.

-Pekâlâ, geleceğim.

Sami ve Nilgün merak içinde bekliyorlardı. Sevgi nedense kendisini çok kötü hissediyordu. Nilgün onu anlıyordu ve soru sormadı.

Eve geldiklerinde Sevgi hemen uyumak istediğini söyledi.

* * *

54

Birisi ona sesleniyordu.

Amcasının kızıydı. Hemen döndü. Çay içen akrabalarının yanına gitti. Her zaman istediği bu değil miydi? Akrabaları ile dolu bir ev...

Fakat, Sevgi mutlu hissetmiyordu kendisini. İçinde bir yerlerde bir acılar yumağı vardı. Ucunu bir bulabilse, çözülecek ve arkası gelecekti, biliyordu.

Oysa şu küçük kız ne kadar da mutluydu. Elinde bir balon vardı ve oradan oraya koşturup duruyordu. Saçları iki yandan bağlı ve kepçe kulaklıydı. Çok şirindi. Gerçekten de onun akrabası mıydı bu küçük kız?

Çıldırmak işten değildi. İstekleri gerçekleşmişti işte ve mutlu olmalıydı. Ama değildi işte! Olacağını da sanmıyordu.

5. BÖLÜM

Sevgi uyandı ve yatağının içinde oturdu. Kafası öyle karışıktı ki. Ne yapacağını bilemiyordu. Hayat onun için çok zordu, şimdiye kadar üstesinden gelmişti. Hayatı yenmişti ama şu anda kendisini öyle güçsüz, öyle zayıf, öyle çaresiz hissediyordu ki.

Kalktı, yüzünü yıkadı ve aynadaki kızın gözlerindeki hüznü gördü. Gülümsedi, aynadaki kız da aynı anda ona gülümsedi. Gözlerindeki bulutlar biçim değiştiriyorlardı. Biraz önce yağmur yüklüydüler, ama Sevgi'nin gülümsemesi ile birlikte güneş bulutların arasından çıkmıştı.

-Kimsin sen?

Aynadaki kız sorusuna yanıt vermemişti.

-Kim olduğunu bilmiyorsun? Geçmişini bilmiyorsun? Daha kötüsü bundan sonra ne yapacağını da bilmiyorsun?

-Sana şunu söylemeliyim ki bir rüyayı gerçekleştirmek istiyorum. Ne dersin?

Kapının açıldığını ve Nilgün'ün baktığını görünce ona da gülümsedi. Nilgün onun banyoda ayna karşısında kendi kendine konuştuğunu duyunca çok endişelenmişti. Ama arkadaşının yüzündeki gülümseyen ifadeyi görünce rahatladı.

Nilgün arkadaşını anlıyordu. İster istemez hayatı değişmişti. Birden hiç ummadığı bir ortama girmişti. Bir yarışma programı onu eski hayatından çekip yeni bir hayata doğru fırlatmıştı. Bu hızda giderken garip hareketler yapması aslında normaldi ve asla durmamalıydı. Ona yardımcı olmalıydı. Önce yavaşlayıp daha sonra durması gerekiyordu ki en az zararla atlatabilsin.

Yaşam, insanlar için sürprizlerle doludur. Bize bir yıl sonraki yaşamımızdan kesitler gösterilse ne kadar şaşırırdık kim bilir? Bir yıl çok uzun bir süredir hayatımızda. Bekârsanız evlenebilir, evli iseniz bir yıl içinde ayrılabilirsiniz. Bir çocuğunuz olabilir hiç hesapta bile yokken... Hayatınızın aşkını bulabilir, müthiş bir serüven yaşayabilirsiniz. Yabancı bir ülkeye gidebilirsiniz... Bu örnekler çoğaltılabilir. Aklınıza hiç gelmeyen şeyleri de ekleyin bu listeye. Çünkü düşünebildiğiniz ve aklınızdakilerin hiçbiri gerçekleşmez ya da kendinizi hiç ummadığınız olayların içinde bulabilirsiniz. Bir yıl sonraki yaşam kesitimizi bir an bile görebilsek, değiştirmek için çalışır mıydık acaba? Yoksa hoşlanır mıydık...

Sevgi için de böyleydi işte. Üstelik bir yıl değil bir ay önce çok sade yaşayan sıradan bir kızdı. Şimdi ise ülkede herkesin tanıdığı bir isim olup çıkmıştı. Oysa ne film çevirmişti, ne de şarkı söylemişti. Yaklaşık bir saat süren bir yarışma programına katılmış ve tüm soruları bilmişti. Ona göre çok büyük bir tesadüftü. Ya da o anda çok şanslıydı. Tüm soruları bilmek onun çok akıllı ya da çok kültürlü olduğunu göstermiyordu. Sadece bildiği sorular çıkmıştı. Bu şekilde ünlü olmaktan da asla hoşlanmamıştı. O, insanların bir şey üreterek, çalışarak bir eser meydana getirerek tanınmasından yanaydı. Böyle değil...

Hayat bir oyundu Sevgi için. Oyunu daima kuralına göre oynamıştı. Daha doğrusu oynamak zorunda bırakılmıştı. Ona gösterilen yerde ve sadece ona verilen oyuncaklarla...

Birden annesini özledi. Sadece hayal-meyal anımsadığı silik bir yüzü vardı annesinin. Bir de o şarkı! Küçüklüğünden beri annesinin bağırarak ve çok büyük bir keyifle söylediği o şarkının hangisi olduğunu bulmak zorunda hissetmişti kendisini. Bir bulsa sanki annesini de bulmuş olacaktı. Yıllardır bu istek içini kemirip durmuştu.

Sevgi yarışmaya katıldığı ve koltuğa oturduğu anı asla unutamayacaktı. İnsanların hayatlarında unutamadıkları anlar vardır. Genellikle bir kez yaşanan ve ömür boyunca her zaman anımsanan kısa anlar, zaman zaman bir olayın tetiklemesiyle canlanır gözümüzde. Adeta tekrar yaşanır o an. Uzun yıllar ya da kısa bir zaman önce yaşanmış olsa da fark etmez.

Sevgi'nin de hayatında unutamayacağı an, yarışmanın başladığı ve annesinin o çok sevdiği ve sık sık söylediği şarkının enstrümantal olarak çalındığını duyduğu andı. Orkestra yıllardır aradığı melodiyi çalmaya başladığında bayılacağını sanmıştı. Ne yapıp edip şarkının adını bulması gerekiyordu. Yarışmayı organize eden Olcay'a söylemişti daha önce ama ya bu konuyla ilgilenecek vakti olmamıştı ya da unutmuştu.

Gözlerinden süzülen yaşlara engel olamadı. Bulutların arasından bakar gibi bakıyordu etrafına ama hiçbir şey görmüyordu.

Nilgün ona sevecen gözlerle baktı. Sevgi çok normal bir kızdı aslında. Bunca yıllık arkadaşıydı ve onun asla dengesiz bir davranışına rastlamamıştı. Hep onu kendisine örnek almıştı. Nilgün'ün her şeyi vardı. Sevgi'nin ise hiçbir şeyi yoktu. Bu durumda olmasına rağmen Sevgi'yi her zaman ondan üstün kılan tarif edilemeyen ancak hissedilen bazı özellikleri vardı.

Sevgi banyoda, aynaya bakarak kendisi ile konuşuyordu. Aslında kendisini sorguluyordu. Arkadaşının gelecekteki projelerini biliyordu. Onun tek isteği gerçek akrabalarına kavuşmaktı. Sonucu ne olursa olsun. Kazandığı ikramiyeyi son kuruşuna kadar kaybetmeyi bile göze almıştı. Zaten bu yarışmaya katılırken onun hedefi asla para olmamıştı.

* * *

Nilgün ve Sevgi onları almak için gelen TV kanalının minibüsünde sessizce oturuyorlar ve kendilerini bekleyen geleceğe doğru yol alıyorlardı.

Yazlık ev İstanbul'un bir ucunda, TV binası ise neredeyse öbür ucunda olduğundan yolculuk epeyi uzun sürmüştü. Sevgi, tüm yol boyunca, yüzüne bir maske gibi yapışan ifadesiz ve bezgin hali taşıdı.

Sunucu Ömer Güçlü onları kapıda karşıladı ve odasına götürdü. Rahat koltuklara gömüldüler ve Ömer bir an için onları yalnız bırakarak odadan çıktı. Sevgi ve Nilgün bakıştılar. Nefis bir odada bulunuyorlardı. Sevgi kendisini uzay gemisinde sandı. Şirkette Sami beyin odası da güzeldi ama burası daha modern döşenmişti ve çok beğenmişlerdi.

Biraz sonra Ömer arkasında Olcay ve tanımadığı iki genç adamla birlikte geldiler.

-Bir saat kadar sonra canlı yayına çıkacağız. Kendinizi nasıl hissediyorsunuz?

dedi Ömer her iki kıza da hitaben.

-Çok iyiyiz!

diye bir ağızdan yanıt verdiler. Sevgi kendisini pek iyi hissetmiyordu. Ama yine de bugün canlı yayına çıkacaktı. Belki gerçek bir akrabası arardı.

Olcay, Sevgi'ye biraz teknik bilgi vermek istediğini söyleyerek başka bir odaya geçmelerini önerdi. Kendi odasında Sevgi ile yalnız kaldığında söze şöyle başladı:

-Sizi ilk kez gördüğümde, sıradan bir kişiliğinizin olmadığını fark etmiştim. Daha sonra konuştuğumuzda bu hissim daha da pekişti. Fakat yine de sizi bir psikiyatr arkadaşımla tanıştırmak istiyorum. Gerçekten de benim dostumdur, TV kanalının dayatıp da mutlaka görüşmeniz gereken bir hekim olarak bakmayın lütfen. Buna inanın ve belki size bazı konularda yardımı olur.

Sevgi biraz şaşırmıştı. Bu adamlar kendisini deli mi sanıyorlardı ne? Kalbi kırılmıştı ama belli etmemeye çalışarak sordu:

-Bu gerçekten gerekli mi?

-Hayır sadece siz isterseniz.

-Peki tanışayım. Belki kafamdaki sorulara bir yanıt verebilir.

Olcay sekreterine telefon edip "Serdar beyin gelebileceğini" bildirdi. Biraz sonra kapıdan Sevgi'nin ilk görüşte yakışıklı bulduğu, 30 yaşlarında genç bir adam girdi.

Samimi karşılaşmayı görünce, Sevgi rahatlamıştı nedense, anlamıştı ki, onlar gerçekten arkadaştılar. Bu adama güvenebileceğini hissetti.

Serdar ona elini uzattı ve içten bir ilgiyle sıktı. Yanılmamıştı Sevgi. Bu sıcak el, sevecen bakan ve gülümseyen gözlerin sahibi onun bundan sonraki hayatında çok önemli roller oynayacaktı. O anda yüreğinin içinde bir yerde bu hissi sakladı.

Olcay hemen konuya girdi. Sevgi anladı ki, onlar çok önceden onun hakkında uzun uzun konuşup bazı kararlara varmışlardı. Sanki bu konu ilk kez açılıyormuş gibi yapma oyunlarına katıldı o da ister istemez.

-Tebrikler, Sevgi hanım. Bu genç yaşta çok büyük bir para kazandınız. Çok şanslısınız. Bu kadar büyük ikramiye kazanan insanları genellikle büyük mutsuzluklar bekler. Bunu biliyor muydunuz?

-Biliyorum zaten bir amaç için bu yarışmaya katıldım. Daha önce de söyledim bunu. Para benim için hiç önemli değil. Ne kadar olduğu ve nereye harcanacağı da. Sadece gerçek birkaç akrabam varsa onları bulmak istiyorum ben.

-Peki buna ne zaman karar verdiniz? En büyük para miktarına ulaştığınız zaman mı, yoksa çok daha önce mi?

-Bu yarışma programını TV'de seyrederken bir akşam aniden karar verdim. Çünkü para kazanan bir genç adamın ertesi gün gazetelerde tüm yakınlarının arasında mutlu bir şekilde gülümserken fotoğrafını gördüm ve nedense onu kıskandım. Ama kazandığı parayı değil. Etrafını çevreleyen kalabalık akraba ordusunu kıskandım. Bu sizce normal midir?

Psikiyatr Serdar, düşünceli bir yüz ifadesiyle çocukluk arkadaşı Olcay'a baktı. Olcay mesajı hemen almıştı. Onların baş başa konuşmaları gereken bir konu vardı.

-Sizin durumunuzu az da olsa biliyorum. Tek başınıza denebilecek bir şekilde büyümüşsünüz. Fakat sağlam bir kişilik sahibi olduğunuz belli oluyor. Bunu iyi tolere etmişsiniz. Ama çocuk ruhunuzda kopan fırtınalar henüz dinmemiş sanırım. Onlarla ilgili ayrıca sizinle görüşmemiz gerekir.

Olcay bu arada söze karışma gereğini duydu.

-Serdar'cım biraz sonra canlı yayına çıkacağız, sen kısaca Sevgi'ye bilgi verir misin?

-Evet, canlı yayında söylenen sözlere çok dikkat etmek gerekir. Çünkü geri dönüşü yoktur. Size önerim, her konuştuğunuz insana önce kuşku ile yaklaşın. Daha sonra gerekli araştırmalar yapılıp doğruluk derecesi saptandıktan sonra karşılıklı gelip görüşürsünüz. Gördüğüm kadarıyla siz bu konuda çok heyecanlısınız ve bir an önce akrabalarınıza kavuşmak istiyorsunuz. Bu da çok doğal. Ama unutmayın ki siz bir milyon liranın sahibisiniz ve sizin bu paranızı paylaşmak isteyen çok insan çıkacaktır. Bunların içinde gerçek akrabanız olma oranının çok düşük olacağından eminim.

-Evet haklısınız ve ben hazırım, canlı yayına katılabiliriz. Siz de yanımda olabilir misiniz acaba? Gerektiğinde size danışabilmem için?

Sevgi bu genç adama güvenebileceğini biliyordu artık.

Olcay mutlu bir şekilde ayağa kalktı. Neyse korktuğu başına gelmemişti. Belki de yanılmıştı Sevgi normal bir genç kızdı.

Kalabalık, bir o kadar da aydınlık ve büyük olan stüdyoya girdiler hep birlikte. Bir koşuşturmadır gidiyordu. Tam karşılarında bir platform vardı. Gidip masaya oturdular ve gördüğü kameraya gülümsedi Sevgi. Artık heyecan duymuyordu. Aslında hiçbir şey hissetmiyordu. Tüm sinirleri uyuşmuş gibiydi. Sanki ilaç almıştı. Hayatının yeni açılan sayfasının, yarışma anından sonra en önemli bölümüne gelmişti. Belki de biraz sonra hayatının gizleri çözülecekti. Kendisini akışa bıraktı ve hayatın çarkları sessizce dönmeye devam etti.

* * *

Eve döndüklerinde Sevgi hâlâ o gün yaşadıklarının etkisi altındaydı. Müthiş bir gündü. Sami bey ve Nilgün ona bir şey sormadılar. Onun ne kadar heyecanlı olduğunu bildiklerinden sakinleşip kendisinin anlatmasını bekliyorlardı. Yolda ağzını bile açmadan sadece bir noktaya gözünü dikip kalmıştı. Bir duş alacağını söyleyerek baba-kızı yalnız bıraktı.

Sonunda yalnızdı. Banyoda, kızgına yakın sıcaklıkta suyu ayarladı ve altına girdi. İğne gibi batıyordu sular vücuduna ama o hiçbir şey hissetmiyordu. Ne kadar kaldı bilemiyordu ama bir an kendisini bayılacak gibi hissetti ve hemen çıktı duştan.

Giyinip de aşağı indiğinde onu çok güzel bir sofra bekliyordu. Sevgi bu insanların onu gerçekten sevdiğinden emindi en azından. Nilgün çocukluk arkadaşıydı ve bir kardeşten çok daha yakındılar birbirlerine. Sami, ise ona her zaman bir baba gibi davranmıştı.

-Evet, benim için yaptıklarınızı nasıl ödeyeceğim bilmiyorum?

-O nasıl söz kızım? Biz ne yaptık ki?

-Benim yanımdasınız ya Sami beyamca, bu öyle güzel bir duygu ki anlatamam.Yarın benim için çok önemli bir gün. Çünkü onlar gelecek!

Onlar dedikleri, bugün TV'deki canlı yayında konuştuğu akrabalarıydı. Ya da akrabaları olduğunu iddia eden insanlar. Görmek için sabırsızlanıyordu. Ömrünün en uzun gecesini geçireceğinden emindi o anda.

-Bu gece çok uzun olacak.

-Yok canım sakın olayların ya da kişilerin senin hayatının akışını değiştirmesine izin verme. Sheakspeare der ki, "Hayat bir oyundur ve bu oyunun senaryo yazarı da biziz." Senaryonu yaz ve oynamaya devam et. Kendin için en iyi rolü kapacağından eminim ben...

Sami haklı mıydı acaba? Sevgi bu öneriyi beğenmişti. Bu gece nasılsa uzun olacaktı öyleyse kendisi için bir senaryo yazmaya yeterli vakti de vardı.

Neşeli bir hava içinde yemeklerini yediler. Sami, şarap almıştı ve ilk kez kızı ve onun arkadaşı ile bu şekilde içki içecekti. Ama bu çok özel bir geceydi ve doğru yaptığından emindi.

_62_ Sevgi ve Nilgün ilk kez şarap içeceklerdi. Sami, kızlarda yarattığı güvenle mutluydu. Sevgi kendisini çok iyi hissediyordu . Sanki babası ve kız kardeşiyle birlikte doğum gününü kutluyorlardı. Biliyordu ki, yarınlar onun için çok güzel olacaktı.

Bilinmeyen yarınlardan korkmamak gerekir. Onu kendi lehimize çevirebiliriz. Nasıl olsa yarının senaryosunu bir gece önceden kendimiz yazmıyor muyuz? Sevgi öyle heyecanlıydı ki şimdi bir an önce yatağına yatmayı ve düşleri ile baş başa kalmayı arzuluyordu. Şimdiden kafasında, senaryosunu yazdığı müthiş bir film oynamaya başlamıştı bile...

* * *

Psikiyatr Serdar ile el ele yürüyorlardı. O an çok mutluydu ve kendini güvende hissediyordu. Acımasız hayat çok geride kalmıştı. Elleri sıcacıktı ve içini ısıtıyordu. Yüreği bir kuş gibi kanatlanmış uçuyordu sanki. O anda karşılarına çıkan banka oturdular ve ne kadar yorulmuş olduklarını anladılar.

Sevgi başını omzuna yasladı ve onun tıraş sonrası losyonunun kokusunu içine çekti. İçinde bulunduğu o muhteşem anda hissettiği ve adlandıramadığı duygunun ne olduğunu bulmuştu. Mutluluk, huzur, şefkat, sevgi, aşk hepsinin karışımı bu duygu onu titretti birden. Başını kaldırıp baktı. Serdar, gözleri kapalı ve yüzünde, ruhundaki huzuru belli eden bir gülümseme ile öylece kalakalmıştı sanki.

Sevgi ona aşkla baktı. Bu genç adama âşıktı. O anda bunu tüm hücrelerinde hissetti. Evet âşıktı. Aşk buydu işte! Sonunda o da düşmüştü aşkın en derinliklerine. Onu öpmek geldi içinden ve uzandı, yanağına konan öpücük Serdar'ı daldığı hayallerden sıyırmıştı. Gözlerini Sevgi'nin tam gözlerinin içine dikti:

-Seni seviyorum biliyor musun?

-Biliyorum tabii, çünkü ben de seni seviyorum.

Hayat sonunda ona da bir fırsat tanımıştı. Bu fırsatı değerlendirmeli ve mutlu olmalıydı. Çünkü buna hakkı vardı.

6. BÖLÜM

Sabah kalktığında kendisini o kadar mutlu hissediyordu ki.

Aynadaki görüntüsü ona gülümsedi. O da aynadaki mutlu kıza gülümsedi. Hayat her şeye rağmen güzel ve yaşamaya değerdi!

Nilgün ondan önce kalkmış ve kahvaltı sofrasını hazırlamıştı. Sami, akşam yemeğinden sonra gitmişti. İki arkadaş birlikte kahvaltı edeceklerdi. Sevgi arkadaşına şefkatle baktı:

-Nilgün, iyi ki varsın.

-Canım benim biliyorsun biz çocukluğumuzdan beri arkadaşız. Yeni tanışmadık. Her zaman yanındayım. Her koşulda ve ne olursa olsun seninleyim.

-Biliyorum bunu...

Sevgi gerçekten de biliyordu ki Nilgün her zaman yanında olacaktı. Şanslı ve mutluydu. O anda çok güçlü hissetti kendisini. Evet bunu başaracaktı ve atlatacaktı. Hayat onu yenemeyecekti bunu hissediyordu.

Kızlar neşe ile kahvaltılarını ettiler. Abartılı bir şekilde, bugünkü programdan bahsetmiyorlardı her ikisi de. Eski günlerdeki gibi, herhangi bir hafta sonu birlikte kahvaltı ediyor gibiydiler. Birden Nilgün bu sessiz anlaşmayı bozdu.

-Sevgi dün gece ne düşündüm biliyor musun?

-Ne düşündüğünü tahmin edebiliyorum. Mutlaka kimsenin aklına gelmeyen bir şey, dün gece senin aklına takılmıştır, merak ettim söyle bakalım?

-Hani şu Alper vardı ya?

-Onu bulacağını daha önce de söylemiştin. Tamam, bul, istiyorum. Biliyorsun o bana "Kimsesiz Kız" derdi.

-O zamanlar hepimiz küçücüktük ama! Bugün harekete geçiyorum. Onunla ilgili hiçbir şey bilmiyorum ama içimden bir ses bana çok yakında bulacağımı söylüyor.

Sevgi'nin gözleri buğulandı. Yıllar önceye, çocukluk günlerine gitmişti. Küçücük saçaklı bir kızdı ve Alper onun saçlarını çekiştiriyordu.

-Kimsesiz, saçaklı, kimsesiz, senin kimsen yok, yok, yok!

-Var işte! Ben nasıl doğdum peki?

-Yok, yok, yok!

-Seni öğretmene söyleyeceğim.

Küçücük yüreğine sığdıramadığı bir acı denizi içinde yüzüyordu. O deniz ki, uçsuz, bucaksız ve tutunacak tek dalı bile olmayan...

Arkadaşları onun babaannesi ile yaşadığını ve başka yakını olmadığını biliyorlardı. Ama çocuklar o yaşta çok acımasızdır.

* * *

Sevgi'nin gözlerinden akan yaşları gören Nilgün koştu ve onun boynuna sarıldı. Pişman olmuştu. Böyle güzel başlayan sabahı niye bozmuştu ki?

Sevgi, birden gülmeye başladı. Nilgün buna sevindi çünkü o-
nu öyle iyi tanıyordu ki. Sevgi ağladı mı, hemen arkasından gü-
lerdi, ya da gülüyorsa, arkasından ağlardı.

Nilgün de gülmeye başladı. Evet karar verilmişti. Alper bu-
lunacak ve dersi verilecekti. Nilgün onun için hiç de iyi şeyler
düşünmüyordu doğrusu (!).

Gerçekten de hayat, her şeye rağmen güzel ve yaşamaya de-
ğerdi!

* * *

TV stüdyosuna yaklaşmışlardı ki, Sevgi birden ümitsizliğe
kapıldı. Ya kimse gelmezse bugün? Ya gelenler sadece para için
gelen sahte akrabalar ise? Bu düşünceler boğazını sıkıyordu a-
deta. Yüzünden tekrar bir bulut geçti. Gözleri nemlendi. Anne-
sini düşündü ve o muhteşem şarkıyı...

Bugün o şarkının adını ve kimin söylediğini öğrenmeliydi.
Birden neyin ne kadar önemli olduğunun ayırdına varamadığını
hissetti. Para mı? Akrabaları mı? Yoksa o şarkı mı? Ruhsal den-
gesi mi bozuluyordu? Bu kadar para kazanmışken akraba, şarkı
diye tutturması acaba normal miydi? Serdar'la konuşması gere-
kiyordu çok acil olarak. Onu düşününce aklına rüyası geldi, yü-
zü kızardı ve içi ısındı birden...

TV stüdyosunda onları kapıda karşıladılar ve yukarı çıkardı-
lar. İlk olarak sunucu Ömer'i gördü Sevgi. Onunla bu konuyu
konuşmalıydı. Ama bu insanlar onun neler hissettiği ile ilgilen-
miyorlardı ki. Onların tüm istediği kendi programlarının ne ka-
dar seyredileceği idi.

-Ömer bey, sizinle özel görüşebilir miyim lütfen?

-Tabii Sevgi hanım, buyurun odama gidelim.

Ömer'in gayet şık döşenmiş odasına girdiğinde Sevgi kendi-
sini iyi hissetti nedense. Odanın pozitif bir havası vardı. Ömer
dikkatli bir tavırla belli etmeden Sevgi'yi süzüyordu. Bu kız

gerçekten de çok farklıydı yaşıtlarından. Genç bir kız değil, sanki olgun b"Akrabalarını bulmak." İkincisi de yine çok ilginç gelmişti ona. Yarışma esnasında program orkestrasının çaldığı bir eser... Bu eser büyük bir tesadüf sonucu Sevgi'nin yıllar önce ölmüş olan annesinin sık sık ir kadın vardı karşısında. Sevgi de güzel ve hüzünlü gözlerini onun gözleriyle buluşturdu ve konuşmaya başladı:

-Size garip gelebilir ama bir isteğim var, ne olur bunu benim için yapın.

-Sizi dinliyorum, buyurun. Elimden geleni yapacağım.

-Yarışma sırasında orkestra enstrümantal bir parça çalıyordu. Bu şarkı , benim çok küçükken kaybettiğim annemin sık sık söylediği bir eserdi ve yıllardır bu melodinin adını ya da kimin söylediğini asla bulamadım. Yıllar yılı yüzlerce eser dinledim ama hiçbiri değildi. Ne zaman ki sizin karşınıza, o yarışma koltuğuna oturdum. İşte bir mucize gerçekleşmişti! Siz, benim o yarışma sırasında karşınızda soruları yanıtlarken neler düşündüğümü asla bilemezsiniz. Çünkü orkestra çalmaya başladığı sırada o parçanın annemin çok sevdiği ve her zaman söylediği şarkı olduğunu anladım ve annemin orada benim yanımda olduğunu hissettim. Sanki soruların yanıtlarını annem bana fısıldıyordu. Orkestra da o sırada onun sevdiği eseri çalıyordu. Hayatım pek iyi geçti denemez, anne ve babamı çok küçükken kaybettiğim için sadece babaannemin sevgisiyle büyüdüm. Hiç akrabam yoktu. O yüzden akrabalık derecelerini de bilmem. Yarışma anında pek çok duyguyu bir arada yaşadım. Bunu sözcüklerle ifade etmem çok zor...

67

Ömer, çok duygulandığını hissetti. Zaten bu kızı ilk kez gördüğünde garip bir his benliğini sarmıştı. İçinden gelen ses ona çok farklı bir yarışma programı olacağını fısıldamıştı. Gerçekten de yanılmamıştı. Uzun yıllardır sunduğu yarışma programında ilk kez bir yarışmacı tüm soruları yanıtlamıştı ve büyük ikramiyeyi kazanmıştı. Oysa bu kızın yarışmada kazandığı büyük miktardaki parada hiç mi hiç gözü yoktu. Onun aklı, farklı iki şeye takılı kalmıştı. Birincisini zaten ilk gün de söylemişti."Akabalarını bulmak". İkincisi de yine çok ilginç gelmişti ona. Yarışma esnasında program orkestrasının çaldığı bir eser...Bu eser büyük bir tesadüf sonucu Sevgi'nin yıllar önce ölmüş olan annesinin sık sık söylediği bir şarkı idi. Kızcağız bunu duyunca annesini yanında hissetmiş ve tüm soruları doğru yanıtlamıştı. Ortada gerçekten de inanılmaz bir durum vardı ve en güzel tarafı da onların çok işlerine yaramıştı!

Kanalları olağanüstü bir reyting patlaması yapmış ve kendisi de günün en çok konuşulan kişisi olmuştu programın sunucusu olarak... Bu kıza çok şey borçluydular. Oysa karşısında oturan ve olağanüstü güzel gözlerindeki gizli hüznü saklayamayan bu genç ve güzel kız şu anda öyle korumasız ve öyle güçsüz görünüyordu ki. Yardım isteyen, soran, bakışlarını üzerinde hissettikçe utanca kapılıyordu. Bu kızın duyguları ile oynamamalıydılar. Yoksa tüm hayatı boyunca izler bırakacak bir acının pençesine düşebilirdi. Sevgi'nin bu ilginç isteğini yerine getirebileceğini düşünerek sekreterini aradı ve talimat verdi.

-Kısa bir zaman içinde o şarkının adını öğreneceksiniz. Ama şimdi önemli olan canlı yayında akrabanız olduğunu iddia edenlerle görüşmeniz. Lütfen siz buna odaklanın.

-Evet, anlıyorum Ömer bey. Ben hazırım.

* * *

İşte yine canlı yayındaydı. Birden içini melankoli kapladı. Biraz sonra tüm hayatı değişebilirdi. Belki de bir teyzesi vardı. Ya da bir halası? Ya bir dayısı varsa? Bir amca oğluna ne derdi?

Gülümsüyordu farkında olmadan. Yine, hayalleri onu geniş bir akraba topluluğunun ortasına fırlatmıştı. Orada öylece şaşkın şaşkın bakınıyordu. Hiç tanımadığı bir sürü insan etrafını sarmıştı. Kadın-erkek, çoluk-çocuk...

Canlı yayının birazdan başlayacağına dair işaret verildiğinde artık hazırdı. Hiçbir şey onu şaşırtmayacaktı. Ömer onu son kez dikkatli olması için uyardı. Temkinli olması gerekiyordu. Ne de olsa insanların para için yapmayacakları şey yoktu. Buna, bir genç kızın duygularını sömürmek de dahildi.

Programın yapıldığı stüdyoda pek çok konuk vardı. Bunlardan hangileri onun "akraba adayı" hangileri konuktu Sevgi bilemiyordu o anda. Telefonların hepsi birden çalmaya başladı. Sevgi, Ömer ve Serdar'ın ortasında oturuyordu. Ona bir ömür gibi uzun gelen birkaç dakikanın sonunda ilk telefon bağlantısı yapılmıştı.

Telefondaki ses Sevgi'yi sanki kırk yıldır tanıyormuş gibi davranıyordu. Sevgi'nin içinden bir ses bu kadının yalan söylediğini fısıldadı.

Bir sonraki telefonda, bir kadın hem ağlıyor hem de bağıra bağıra konuşuyordu "Bu da değil!" dedi içindeki ses.

Böylece sayamadığı kadar çok kişinin telefonlarına yanıt verdiler. Ama hiç dişe dokunur bir görüşme yapılmamıştı o ana kadar. TV kanalının telefonları kilitlenmişti yine ve Sevgi de artık yorulmuştu. Fakat bir de stüdyodaki adaylarla yüzleşme işi vardı. Sevgi bunu istemediğini hissetti. Bir an önce oradan gitmek için can atıyordu. Çünkü oradaki insanların hiçbirinin onun akrabası olduğuna inanmıyordu.

Sonunda program bitti, Ömer ve Serdar yorgun bir ifade ile Sevgi'ye baktılar.

-Sizinle biraz konuşmak istiyorum.

dedi Serdar.

Sevgi aslında onunla hem konuşmak istiyordu hem de bir an önce oradan uzaklaşmak için sabırsızlanıyordu. İçindeki ses Serdar'ın ona yardım edebileceğini söylüyordu.

Ömer yorgun bir yüz ifadesi ile Sevgi'ye :

-Sevgi hanım yarın tekrar aynı saatte burada programa çıkacağız. Şimdi gidebilirsiniz.

dedi ve odadan çıktı. Sevgi sersem gibiydi, Serdar, onu dışarı çıkardı.

Sevgi, Serdar ile bazı konuları konuşmak istiyordu. O telefonlar geldikçe bir an için kendisini mutlu hissetmişti. Gerçek akrabaları olma olasılığı az olmasına rağmen yine de hiçbir şey olanaksız değildi.

Ama o biliyordu, yüreğinin derinliklerinden gelen sesin de ona fısıldadığı gibi o gün arayanların hiçbirisi de onunla yakından uzaktan akraba değildi. Gerçek kan bağı sahibi biri aradığında o mutlaka hissedecekti. Bundan emindi.

Serdar sevecen bir bakış fırlattı ve onu dışarı doğru sürükledi. Dışarıda Nilgün bekliyordu ve yüzünün rengini beğenmemişti. O gün Nilgün, bir başka canlı yayına katılacaktı ama Sevgi bunu bilmiyordu.

-Canım arkadaşım hadi gel eve gidelim, iyi görünmüyorsun.

-Nilgün sen git, ben Serdar ile biraz konuşacağım. Ona soracak pek çok sorum var. Ne olur beni affet. Görüşürüz.

-Tamam canım. Ama lütfen kendine dikkat et.

diyerek endişeli bir şekilde oradan ayrıldı.

Sevgi bir anda kendisini Serdar ile birlikte onun arabasının başında buldu. Serdar bir yerde oturup yemek yemelerini ve o sırada da konuşmalarını öneriyordu.

-Evet çok harika olur çok ihtiyacım var buna.

* * *

Biraz sonra fazla kalabalık olmayan bir yerde karşılıklı oturuyorlardı. Serdar, aldığı mesleki eğitimin verdiği hoşgörü ile karşısında oturan ve güvenle gülümseyen kıza bakıyordu . Sevgi bu gözlerin içinde eridiğini hissetti. Bu genç adamdan hoşlanmıştı. Hemen aklına doktorların hastaları ile asla ilişki kurmadıkları geldi. Serdar onu sadece kendisine verilen bir iş olarak görüyordu. Yüzünden kara bir bulut geçti.

Serdar, 30'lu yaşların başlarında, uzun boylu, atletik yapılı, kumral, gözlüklerinin arkasında etkileyici ve delici bakışlara sahip bir gençti. Son derece yakışıklı ve kültürlüydü. Asil ve ince bir zevki olduğu belliydi. Son moda giysileri ile çok şıktı. Sevgi özellikle ayakkabılarını çok beğenmişti.

Sevgi'nin babaannesi ona asla eski giysi ve ayakkabı giydirmemişti. Fakat çok pahalı ve çok şık giyinememişti hiç.Her zaman ve özellikle her bayram yeni elbiseleri olmuştu. İşe başladıktan sonra az da olsa şık ve pahalı kıyafetler alabilmişti kendisine armağan olarak. Ama hiç böyle Serdar gibi baştan ayağa şık ve bir moda dergisinden fırlamış gibi giyinememişti doğrusu!

Serdar, mesleki geçmişinin çok uzun olmamasına rağmen, yumuşak karakter yapısına uygun olarak insanlara güven veriyordu. Ona gelen her hasta, yaşına göre bir hisse kapılırdı. Serdar'dan daha yaşlı ise sanki oğlu gibi, küçük ise bir ağabey gibi, aynı yaşlarda ise arkadaş gibi hissedilirdi. Bu hemen her hastasından duyduğu bir şeydi. Sevgi de o anda onu bir arkadaş, bir yakını gibi hissetmişti. Aslında çok daha fazlasını hissetmişti. O anda kendisine itiraf etti bu genç adamdan hoşlandığını.

71

İnsan gözü öylesine ilginç bir penceredir ki oradan kişinin ruhu görünür. Gözlerinin ta içine bakarak bir insanın ne kadar insan olduğunu görebiliriz. Göz kapaklarımızın ardındaki ışık birden parlar ve etrafımızdaki insanları aydınlatır. Bu ışık o insanları ne kadar aydınlatmak istediğimize bağlıdır. Karşımızdaki bu ışığı canlandırırsa görkemli bir ateş ortaya çıkar. Böylece gözler mutluluktan ışıl ışıl parlar.

İşte o anda her ikisinin de gözlerindeki ışıltıdan kaynaklanan pozitif bir havanın estiği masada, uzun süredir konuşmadan birbirlerine baktıklarını fark edip her ikisi de aynı anda gülümsediler. Serdar sevecen bir tavırla, Sevgi'nin biraz ürkek, biraz endişeli, daha çok hüzünlü gözlerinin derinliklerindeki ruhuna dokunan bir ses tonuyla :

"Sevgi seni daha iyi tanımak istiyorum, kendini rahat bırak" dedi.

Sevgi rahattı aslında bu genç adamın gözlerine bakarken. Kendisini emniyette hissediyordu ve bu çok önemliydi onun için. Emniyet duygusunu her zaman her yerde kolay hissetmezdi. Sadece kendi evinde, pencerenin önünde babaannesinin koltuğunda otururken... Bir yandan yıllar önce ölmüş olan anne ve babasının kütüphanesine, diğer yandan dış dünyaya bakarken duyduğu his, emniyetti. Aynen Martı Jonathan gibi... *"Yaşadığının bilincine varmak..."*

Şu anda yaşadığının bilincine vardığı bir ruh haliyle karşısındaki genç adama, tüm içtenliği ile gülümsüyordu. Bu gülümsemenin onun yüzüne nasıl pırıltılar saçtığını kendisi göremiyordu, ama bu ışık Serdar'ı aydınlatıyordu. Sevgi, odaya girdiğinde sanki pencere ardına kadar açılmış, oda ışıkla ve temiz havayla dolmuş gibi hissettiren bir kızdı.

Serdar aslında çok zor durumdaydı. Karşısında oturan bu güzel, sevimli, zeki kız aynı zamanda gençliği, cazibesi ve güzelliği ile onu müthiş etkiliyordu. O anda mesleki kimliğinden sıyrılarak hoşlandığı bir kızla buluşan genç bir adam kimliğinde olmayı istedi. Ama bu pek mümkün değildi. Çünkü onu bu iş için görevlendirmişlerdi ne yazık ki. Karşısında oturan kıza haksızlık etmek istemiyordu. Kırılgan bir yapısı vardı ve oldukça zorlanacağını hissediyordu.

Sevgi için söylenenleri düşündü. Hiç kimsenin sonuna kadar götüremediği bir yarışmada hemen hiç zorlanmadan büyük ikramiyeyi kazanmış fakat bu büyük para karşısında hiç şaşırmamıştı. Çünkü katılma amacı çok farklıydı. Küçükken ölmüş olan anne ve babasının akrabalarını arıyordu. Aslını arıyordu, kendisini arıyordu. Kim olduğunu bilmek istiyordu. Aynen küçük yaşta evlatlık verilen biri gibi...

Öyle olsaydı bile belli bir yaşa gelince ona evlatlık olduğu söylenecek o da kendisine çok iyi bakan insanları üzmeden gerçek anne ve babasını arayacaktı. Bu çok doğal bir tepkiydi. Köklerini arıyordu o... Bilmek de son derece hakkıydı. Çoğu zaman gerçekler insanların hoşuna gitmezdi. Ama yine de bilmekten vazgeçmezlerdi. Daha önce böyle pek çok hastası olmuştu. Gerçek ailelerini arayan...

Çok zor bir durumda olduğunun bilincindeydi. Karşısında oturan bu kızdan ilk görüşte hoşlandığını kendisine itiraf etmişti. Ama meslek etiği gereği ona asla bu gözle bakmaması gerektiği de aynı anda içindeki ses tarafından ona duyurulmuştu. Bu sesi duymamayı o kadar çok istemesine rağmen!

-Benim durumum normal değil sanırım, anlayabiliyorum ama ne olur siz de biraz olsun beni anlayın!

diye konuşmaya başladı Sevgi ve gülümseyerek devam etti:

-Bunca para kazanan bir kızın şımarıklığı olarak da düşünebilirsiniz ama böyle değil inanın bana.

Birden ciddileşmişti. Ağlamamak için kendisini zor tutuyordu.

-Siz çok daha kötü hayat öyküleri dinlemişsinizdir mutlaka, ama benimki de bana göre yeterince acı verici. Benim yerimde bir başkası olsa nasıl davranır bilemem ama daha farklı davranabileceğimi sanmıyorum. Annemin ve babamın öldüğünü biliyorum. Ama mutlaka bir yerlerde benim yakın akrabalarım olmalı. Onları mutlaka bulmalıyım. Kazandığım tüm ikramiyeyi kaybetmek pahasına olsa bile!..

Serdar tekrar, karşısında oturan ve ondan yardım bekleyen kırılgan kızın gözlerinin içinden ruhuna baktı. Uzun bir süredir hayatında kimse yoktu ve ilk gördüğü andan itibaren hoşlandığı bu sevimli genç kız ile acaba Shakespeare'in dediği gibi "Kaderin kitabında aynı sayfada ve aynı satırda yazılmış mıydılar?"

Daha sonra Serdar; Sevgi'yi evine bıraktı. Arabadan inip giden kız, onun yüreğini de yanında götürüyordu. Kendisini çok kötü hissediyordu. Terzi kendi söküğünü dikemezmiş, oda ne yapacağını bilemiyordu. Nereye gittiğini bilmeden arabayı sürdü. Neden sonra şehir dışına çıktığını fark etti. Ne kadar uzun yol katettiğini anlayamadan buralara gelmişti. Arabadan indi ve temiz havayı içine çekerek yürüdü.

Ağaçların içinde küçük bir çay bahçesi gördü. Bir çay içse ve otursa belki biraz kendine gelirdi. Oturduğu masanın hemen yanından küçük bir ırmak neşeyle akıyordu. Daha önce hiç bilmediği bu yerde, yemyeşil ve tertemiz havada çayını yudumlarken düşünüyordu.

Bir kitapta okumuştu, "insanlar ırmaklar gibidir" diyordu. "Su hep aynı olmasına rağmen, bazen duru bazen bulanıktır. Bazen soğuk bazen sıcak. İnsanlar da böyledir işte! Her insanda biraz iyilik vardır, biraz kötülük. Tüm özellikler de her insanda değişiklik gösterir. Nehrin dar tarafı gibi bazı insanların iyiliği az olur. Ya da soğuk oluşu gibi bazen hoşgörüsüz ve kötümser olabilirler. Bir insan öyle bir an gelir ve öyle bir davranış sergiler ki asla anlam veremezsiniz. Irmağın yağan yağmurlarla yükselerek hızla akması gibi, iyi bir insan da öfke krizleri geçirebilir. Çok yumuşak bir insan ender de olsa bağırıp çağırabilir. Bazen prensip sahibi bir insan farklı davranabilir. Hiç ummadığınız bir davranış sergiler..."

* * *

Sevgi'yi evine bıraktıktan sonra sürüklendiği bu yemyeşil ağaçlar altında ve akan küçük ırmağın kıyısında düşünceleri onu boğuyordu. O da bir ırmaktı ve her zaman yatağında duru ve düzgün akamazdı. Karşısına çıkan engeller onu farklı bir yöne çevirebilirdi...

Serdar bir dönüm noktasındaydı. Bir tarafta çok sevdiği mesleği vardı. Diğer tarafta ise şu anda iyice anlamıştı ki ilk görüşte âşık olduğu bir kız vardı.

Bu işin içinden nasıl çıkacağını bilemiyordu. Irmağa tekrar baktı, orada öylece neşeyle akıyordu. Nerede ya da nasıl denize kavuşacağı hiç umurunda değildi!

Sevgi eve geldiğinde hemen bir duş aldı. Mutfağa gitti , çay koydu ve gidip babaannesinin pencerenin önündeki koltuğuna oturdu. Ne olurdu sanki şu anda bu koltukta o otursaydı. Daha da iyisi annesinin oturmasıydı ama bunlar asla gerçekleşmeyecek düşlerdi. Fakat gerçekleşecek düşler de daima vardı.

Serdar'ı ve bulunması muhtemel akrabalarını düşündü. Aklına ilk olarak Serdar'ın gelmesi yüzünün kızarmasına sebep oldu. Ondan çok hoşlanmıştı işte! Kime ne!

"Kime ne!" lafı aklına Nilgün'ü getirdi ister istemez. O karışırdı işte buna!...

Yalnız yaşayan bekâr bir kız olmasına rağmen her zaman hayatına karışan biri vardı işte...

Hemen Nilgün'ü aradı. Nilgün telefona adeta atladı ve hemen geleceğini söyledi.

-Çay koydum! dedi Sevgi. Bu Nilgün'e gelirken çayın yanında yiyecek bir şeyler al anlamına geliyordu söylemesine gerek olmadan.

Kızlar işte yine pencerenin önünde çay içiyorlar ve peynir simit yiyorlardı. Nilgün sonunda dayanamadı ve sordu:

-Söylemeye niyetin yok galiba Serdar ile neler konuştunuz anlat bakalım?

-Pek bir şey konuşmadık!

-Hah-hah-haah inandım ben de!Hiç konuşmadan öylece oturup geldiniz demek ki!

-Evet aynen öyle yaptık!

Nilgün onun bu konu hakkında konuşmak istemediğini anlamıştı. Konuyu değiştirdi. Ne de olsa çok genç kızlardı. Sevgi'nin paraları ne yapacağını konuşmaya başladılar. Güzel bir tatil planı yapıyorlardı ki telefon çaldı.

TV kanalından arıyorlardı. Evde çekim yapmak için randevu istiyorlardı. Mümkünse o anda. Sevgi gelebileceklerini söyledi.

Şimdi konuşma konusu değişmişti ister istemez. Nilgün, gözlerinde muzip bir ifadeyle Sevgi'ye döndü, abartılı ve yapmacık bir sesle:

-İşte bu evde büyüdüm ben, babaannem ölünce yapayalnız kaldım. İşte! Gördüğünüz şu pencere beni dünyaya bağlayan tek yer oldu. Yarışmaya katılmaya da işte burada karar verdim!

İki kız da kahkahadan kırılıyordu şimdi.

Daha sonra kalkıp ortalığa biraz çeki düzen verdiler. Sevgi dışarı çıkıp onlara ikram etmek üzere kurabiye-pasta aldı.

Vakit çok geç olmasına rağmen bir saat sonra TV ekibi gelmişti. Ömer'in de onlarla birlikte geldiğini görünce şaşkınlığını gizleyemedi Sevgi. Ama sevinmişti, belki de şarkının adını bulmuştu ve onu öğrenebilecekti sonunda.

Tahmininde yanılmamıştı. Ömer ona şarkının adının yazılı olduğu bir kağıt uzatınca bir an bayılacağını sandı. Ama o anda bakmasına imkân yoktu. Çünkü TV ekibinin fazla vakti yoktu bir an önce onunla konuşmak istiyorlardı. Artık kameralara alışmıştı, hoşlanmaya bile başlamıştı. Çekimin sonunda Nilgün çayları ve pastaları hazırlamış, onları çağırıyordu.

Hep beraber çaylarını içtiler. Kameralar kapanınca daha samimi bir ortam oluşmuştu. Ömer bile mesafeli tavrını bırakmış espriler yapıyordu. Sevgi'nin aklı her ne kadar kütüphanede duran ikiye katlanmış ve içinde annesinin en sevdiği şarkının adı yazılı kağıtta ise de onlarla birlikte çay içip pasta yedi.

Ekip gidince ne kadar rahatladığını fark etti. Sevgi, Nilgün'e baktı ve hızlı bir şekilde kütüphanenin önüne gitti. Bir an için başının döndüğünü sandı. O kağıdı açtığında çocukluğuna ve bilmediği geçmişine bir pencere açılacaktı sanki ve oradan annesini görecekti. Kağıdı açtı yazılanları okudu ve ayaklarının altından yerin kayıp gittiğini hissetti.

* * *

Annesi saçlarını okşuyor, bir taraftan da o şarkıyı söylüyordu.

-Sevgi ne olur aç gözünü!

Annesi onu çağırıyordu. Ama sesi ne kadar da Nilgün'ün sesine benziyordu. Ona seslenen aslında Nilgün'dü. Kağıdı eline alınca küçük bir baygınlık geçirmişti. Uzun yıllar boyunca bu şarkının adını bulabilmek için neler yapmıştı. Şu anda ise elinde tuttuğu kağıt parçası ona annesinin anılarını getirecekti. Nilgün onu anlayacaktı. Yalnız kalmak ve bu şarkıyı hemen internetten indirmek istiyordu. Nilgün sonunda gitmişti ve saat gece yarısını çoktan geçmişti.

Artık şarkıyı dinleyebilecekti. Bunun için en sevdiği arkadaşının bile yanında olmasını istememişti. Bilgisayarını açtı, internete bağlandı ve şarkıyı indireceği programı açtı. Bu program ile pek çok müzik parçası indirmişti bilgisayarına hep annesinin söylediği şarkı olmasını umut ederek. Ama ne yazık ki hiçbiri değildi.

"Search" yazan bölüme şarkının adını yazdı ve bekledi.

"Something's Gotten Hold of My Heart".

Hızlı bir şekilde şarkının çeşitli şarkıcılar tarafından yorumlanan versiyonları listelendi. Annesinin hangisini dinlediği bilmesi mümkün değildi tabii ki. Listeden birini seçmesi gerekiyordu. Marc Almond ve Gene Pitney isimli iki şarkıcının söylediğini işaretledi. Düetleri severdi oldum olası.

Dakikalar geçmek bilmiyordu. Henüz %10'u gerçekleşmişti işlemin. Koyu mavi bant bir türlü yürümüyordu. O bandın tamamen dolması gerekiyordu şarkıyı dinleyebilmesi için. Ne yapmalıydı bu arada, vakit geçirmeliydi bir şekilde. Nilgün'e telefon etmek geldi aklına. Çünkü her ikisi de uzun konuşmayı severdi telefonda. Çok geç bir saat olmasına rağmen arkadaşını aradı.

77

Nilgün uyumayıp ondan haber bekliyor olmalıydı ki telefonu çalar çalmaz açtı. Sevgi'nin sesinden heyecanını anlamıştı. Neredeyse tüm ömrünü bulmayı umarak geçirdiği bir şeyi bulmuştu. Sevgi için bir hazine kadar değerliydi bu şarkı. Üstelik kazandığı bir milyonu bile ona unutturmuştu.

-Şarkıyı indirmeye başladım ama sanırım 10-15 dakika daha sürecek. Çıldıracağım Nilgün ne olur beni bu süre için oyala.

-Canım benim, bak sana ne söyleyecektim ben de. İyi ki sen aradın. Hani Alper vardı ya. İşte ben onu buldum galiba. Bugün sana söyleyemedim TV ekipleri de geldi ve unuttum.

-Gerçekten mi? Aslında beni şaşırtmadın, çünkü senin elinden kurtulamayacağını biliyordum.

-Haklısın, aklıma koyduğumu yaparım. Sana bu aşamada pek bilgi vermek istemiyorum. Ama birkaç gün içinde sana bir sürpriz yapabilirim.

-Tamam canım, bekliyorum ama korktuğumu da itiraf edeyim sana. Zavallı çocuğu kim bilir nasıl da kötü (!) günler bekliyor.

Sonra Alper'in de içinde bulunduğu çocukluk anılarını anımsayıp biraz güldüler, biraz hüzünlendiler. Sevgi'nin gözü saate kaydı ister istemez. Ama sadece beş dakika geçmişti. Uzaktan bilgisayarın ekranına baktı. Koyu mavi bant yarılanmıştı...

Sevgi, Alper'i nasıl bulduğu hakkında bilgi almak istedi. Ama Nilgün bu konuda kesin kararlıydı. Konu kapanmıştı. Onu karşısında göreceği güne saklamalıydı soracağı soruları.

Telefonun her iki ucunda konuşan kızlar aslında çok neşeli bir sohbet ediyor gibi görünseler de Sevgi'nin aklı hep bilgisayarındaydı. Gözünü bir türlü o koyu mavi banttan alamıyordu. Sanki tüm hayat o çizgiye odaklanmıştı. O bandın tamamlanması her şeyin ortaya çıkması anlamına geliyordu. Yaşamın sırrı çözülecekti sanki.

Hani çok sevdiğiniz bir yakınınız çok uzaklardan gelecektir. Uzun bir süre onu görmemiş olduğunuz için özleminiz had safhadadır. Dakikalar geçmek bilmez. Siz bir an önce onu görmek için sabırsızlanırsınız. Sonunda beklediğiniz an gelir çatar ve beklediğiniz kimse karşınızdadır işte. Önce ona bakarsınız, sonra da koşup boynuna sarılırsınız. Geçmek bilmeyen, heyecanlı dakikalar sona ermiş ve yerini bir başka heyecana bırakmıştır. O andan sonra, biraz önce duran saat adeta hızlanır sanki. Sevdiğinizle birlikteyken ise dakikalar hatta saatler koşar gider... Hayat böyledir...

Nilgün ne anlatıyordu? Birden onu dinlemediğini fark etti. Gözü hâlâ bilgisayarındaki koyu mavi banttaydı. "Az kaldı" dedi. Nilgün "Neye az kaldı?" diye sorunca kendine geldi. Onu dinlemediğini çaktırmamak için, "benim parça bitmek üzere de az kaldı diye ona dedim."

-Öyle mi canım? Ben kapatayım artık. Senin önemli bir işin var çünkü.

Telefonu kapattıktan sonra, Sevgi bilgisayarının başına gitti. Mavi bant tamamlanmak üzereydi. Heyecandan kalbi duracaktı sanki. Oturdu ve bekledi. % 98 ... % 99... Geçmek bilmeyen saniyeleri saydı. Annesine kavuşmasına çok az kalmıştı. Sanki annesi çok uzaklardan gelen bir trenden inecekti birazdan. Tren uzaktan görünmüştü ve istasyonda durmak üzereydi.

Sevgi, kısa sayılabilecek ömründe çeşitli heyecanlar yaşamıştı. Okuldaki sınavları, diploma heyecanları, işyerindeki küçük heyecanlar. Sonra TV'deki yarışma programı... Yarışmaya katıldığında çalan parça. Şimdi şarkıyı hiç anımsamıyordu ama o anda, o heyecanla sanki annesi söylüyormuş gibi hissetmişti.

İşte uzun yıllardır beklediği an gelmişti. Gözlerini koyu mavi banttan ayıramıyordu. O bantta bir şarkı yüklüydü şimdi. Öyle bir şarkı ki, onu annesine kavuşturacak, tüm özlemlerini giderecek, tüm hayatını değiştirecek...

Büyülenmiş gibi bilgisayarın ekranına kilitlenmişti gözleri. Zaman durmuştu ve tüm yaşamını değiştirecek bir olayı başlatmak üzere mekanik bir hareketle "play"e bastı, arkasına yaslandı ve gözlerini kapattı... Yüreğindeki burgaç, içindeki yarayı oymak için harekete geçmişti bile!

Kulağına çok hoş gelen giriş melodisinden sonra hemen bir erkek sesi şarkıya başladı. O ses ile birlikte Sevgi zamanda bir yolculuğa çıktı...

Mutfakta şarkı söyleyerek yemek yapan annesi ona sevgiyle bakıyor ve bir türlü çalan kapıyı duymuyor. Annesine doğru gidiyor, ona kapıyı gösteriyor ve "tapi, tapi" diyor...

Sevgi bir duygu sağanağına yakalanmıştı. Şarkı devam ediyordu. Müthiş bir düetti. İki erkek şarkıcı şimdiye kadar duyduğu en güzel şarkıyı söylüyorlardı. İşte buydu! Annesinin her zaman söylediği şarkıydı. Annesi gözlerinin önündeydi. Ona sevgiyle bakan gözlerini ve kokusunu yüreğinin taa derinliklerinde hissetti. Burgaç gitgide hızlanıyordu...

"You smile and I am lost for a lifetime..."

Annesi ona gülümsüyordu gittiği yerden...

"Dragging my soul to a beautiful land..."

Acaba annesinin ruhu da o güzel yere mi sürüklenmişti?

"Painting my sleep with a colour so bright..."

Onun da rüyaları renklenecekti, biliyordu artık...Bu şarkı ruhundaki o eski yarayı kanatmıştı. Sizin için anısı olan bir şarkı çaldığında nasıl duygusal fırtınalarla sarsılırsınız, yüreğinizin kanayan yarasına rağmen şarkıyı dinlemeye devam edersiniz. Tıpkı şu anda çalan şarkıyı hiç durmadan dinleyen Sevgi'nin ruh hali gibi...

Şarkıcılar devamlı olarak aynı şarkıyı yeniden söylüyorlardı. Hiç durmadan, bıkmadan, yorulmadan ve muhteşem bir yorumla.... Sevgi'nin ise başı dönüyor, dönüyor, dönüyordu. Şarkı bitiyor, başlıyor, bitiyor tekrar başlıyordu...Annesi devamlı olarak ve adeta bağırarak aynı şarkıya eşlik ediyordu.

Türlü çiçeklerle bezenmiş bir bahçenin içindeydi. Çiçek kokuları arasında büyülenmiş gibi hareketsiz oturuyordu. Sevdiğinin gözlerinde eriyen bir âşık gibi o da müziğin içinde kendini kaybetmişti. Yüreğindeki burgaç ise yarasının tam ortasında son hızla dönüyor, yarasını deşiyor ve anlatması imkânsız bir ıstırap veriyordu.

Artık biliyordu ki hayatındaki hiçbir şey şu andan itibaren eskisi gibi olmayacaktı. Çok uzun yıllardır aradığı şarkıyı sonunda bulmuştu. Bir yarışmaya katılmış tüm hayatı ile birlikte dünyası değişmişti. Hem o güne kadar verilen en büyük ikramiyeyi kazanmış hem de çocukluğundan beri adını bilmediği ama hep duymak istediği bir şarkıyı aynı anda dinlemişti. Buna bir de Nilgün'ün Alper'i bulduğunu ekleyin... Öyle hissediyordu ki bu üçüncü keşif hayatında, en az ilk ikisi kadar önemli bir rol oynayacaktı! Bir de ve belki de en önemlisi, Serdar girmişti hayatına! Acaba o kaçıncı sıradaydı?

7. BÖLÜM

Şarkı kaçıncı kez dönmüştü bilemiyordu, belki de uyuyakalmıştı, şarkının arasında farklı bir ses vardı. Sabah olmuştu ve telefon çalıyordu. Bu ses onu gerçek dünyaya döndürdü. Önce kalktı bilgisayarındaki müzik setini kapattı. Sonra da gidip telefonu açtı.

Arayan Nilgün'dü tahmin ettiği gibi!

-Hey! Günaydın, neden aramadın beni? Şarkıyı indirip dinledin mi? Aradığın şarkı mıymış?

Sevgi birden midesinin kazındığını duyumsadı. Nilgün ne çok soru soruyordu böyle?

-Hadi bana gel ne olur, sana ihtiyacım var.

Nilgün telefonu kapattı. 10 dakikaya kadar gelirdi. Sevgi pencereye gidip dışarı baktı. Bardaktan boşanırcasına yağmur yağıyordu. Sanki gökyüzü de hüzünlenmiş ve gözyaşlarına eşlik ediyordu. Karnı öylesine açtı ki...Koltukta öylece uyuyakalmıştı, kim bilir saat kaç olmuştu? Zaman nasıl da akıp gitmişti.

İri yağmur damlaları cama çarparken çok hoş bir ses çıkarıyordu. Bir anda babaannesini düşündü. Onunla kim bilir kaç kez bu pencerenin önünde oturmuş ve dışarıya bakmışlardı? Kim bilir kaç kez birlikte gülmüşler ve birlikte ağlamışlardı burada... Ya da kim bilir kaç kez böyle yağmur yağarken, evlerine giden insanları seyretmişlerdi... Babaannesinin, sokaktan geçen herkes için bir öykü anlattığını anımsadı. Bugün biliyordu ki, o öykülerin çoğunu onu oyalamak için uyduruyordu.

Hava öylesine kasvetli ve karanlıktı ki dışarıda hemen her şey siyah ya da çok az aydınlanan yerler gri görünüyordu. Gözyaşları ise en az yağmur damlaları kadar hızla akıyordu. Hem camlar hem de gözleri ıslak olduğu için etrafı pek net göremiyordu. Annesinden sonra babaannesini de ne kadar çok özlediğini fark etti. O pamuk gibi yumuşak ve tatlı yaşlı kadını aradı. Onun kulağına fısıldadığı sevgi sözcüklerini anımsadı. Yanında olmasını, ona sarılmayı ve o benzersiz kokusunu içine çekmeyi istedi.

* * *

Kapının sesiyle gerçek dünyaya döndü. Nilgün elinde, içinde yiyecek olduğu belli olan bir paketle ve şemsiye kullanmayı hiç sevmediğinden sırılsıklam bir halde geldi. Sevgi arkadaşına bir kez daha tarif edilemez bir duyguyla sarıldı. O olmasa ne yapardım ben acaba diye içinden geçirdi bir an...

-Ne çok ağlıyorsun bu aralar...

-Sevinç gözyaşları bunlar ama. Yıllardır aradığımı buldum. Annemi buldum...

Nilgün, karşısında gözleri ağlamaktan kızarmış ama aynı zamanda da pırıl pırıl parlayan kıza sevgiyle baktı. Kendisini bildi bileli bu kızı tanıyordu. Hayatının hiçbir dönemini anımsamıyordu ki o olmasın. Herhalde bundan sonraki bölümlerinde de olacaktı.

Hayat herkese adil davranmıyordu, ama gördüğü kadarı ile Sevgi'ye vurduğu darbenin karşılığında ona harika bir armağan vermişti. Bu armağanlardan birisi, onlar için büyük miktardaki paraydı. İkincisi yıllardır aradığı şarkıyı bulması, üçüncüsü ise Alper'in bulunmasıydı. Nilgün henüz Serdar'ı bilmiyordu.

Biliyordu ki yıllar önce Sevgi, Alper'e çocukluğunun o saf ve temiz hisleriyle âşık olmuştu. Aslında bu çocukça bir duyguydu, aşk denemezdi! Alper onu her zaman çocuklarda bulunan acımasızlıkla "Kimsesiz Kız" diye çağırırdı. Alper'i görmek için içinde özlem ve sevgiyle karışık bir his büyüyordu. Nilgün nasıl bulmuştu onu acaba? Biraz sıkıştırırsa söyletebilirdi, tanırdı o arkadaşını ne de olsa.

Nilgün daha fazla dayanamadı ve ona Alper'i nasıl bulduğunu anlattı:

-Biliyorsun televizyonlarda yarışmalardan başka, canlı yayınlanan ve toplumsal sorunları işleyen programları var. Bunlarda kayıplar bulunuyor, dargınlar barıştırılıyor, evlenmek isteyenler evleniyor...

-Sakın bana böyle bir programa katılıp Alper'i aradığını söyleme!

-Aynen öyle... Böyle bir programa katıldım. Canlı yayında okulda Alper ile çekilmiş çocukluk fotoğraflarımızı gösterdim ve yardım istedim seyredenlerden. İnanmayacaksın ama Alper'in ablası aradı. Televizyonda küçükken oturdukları semtin ve okulun adı geçince dikkat etmiş ve fotoğraftaki kardeşinin arandığını duyunca heyecanlanıp hemen TV kanalını aramış.

-Valla sen müthiş bir kızsın yaa! İnanamıyorum sana.

-Senden ilham aldım şekerim. Sen televizyonda canlı yayında nasıl konuşup akrabalarına çağrı yaptın. Ben de acaba böyle bir programa katılsam bulur muyum Alper'i diye düşünüp gittim işte!..

Sevgi yine arkadaşının boynuna sarıldı. Gözyaşlarını tutamıyordu. Keşke bu kız, onun gerçek kız kardeşi olsaydı. Ancak o zaman bu kadar çok severdi onu.

-Peki ne zaman göreceğiz Alper'i?

-Dur bakalım işte en can alıcı soruyu sordun şimdi! İkimiz birlikte TV programında canlı yayına davetliyiz. Program yapımcısı bize bir sürpriz yapacaklarını söyledi.

-Senden korkulur valla! Ne diyeyim ki?

-Hiçbir şey söyleme yarın gidiyoruz.

Sevgi için artık dakikalar ve saatler ilerlemek bilmiyordu. O gece geçmek bilmedi. Defalarca annesinin şarkısını dinledi. Uyudu, uyandı, gülümsedi, ağladı, çay içti, yemek yedi. Ama bir an bile ertesi gün Alper ile ilgili programı aklından çıkaramadı. O eski çocukluk günleri gözlerinin önüne geldi. Alper'in onu saçlarından çekmesi, onunla alay etmesi, öğretmene şikayet etmeleri, öğretmenin onları tatlı-sert bir şekilde azarlamaları...

8. BÖLÜM

Sonunda uyuyabildiğinde, saat sabaha karşı 3'tü. Sabah yine kapının zili ile uyandı. Gözleri kapalı olarak kapıyı açtı. Nilgün elinde sıcacık simit ve poğaçalarla karşısında dipdiri dikiliyordu.

-Sabahın köründe beni niye uyandırdın?

-Saatten haberin yok mu senin kızım? Öğlen oldu, sadece bir çay içmeye vaktimiz var. Gelip bizi alacaklar. Hazırlanmamız lazım.

Sevgi o gün Alper için TV'deki programa çıkacaklarını anımsadı. Hemen gidip yüzünü yıkadı. Nilgün çayı hazırlamaya gitmişti bile mutfağa. Bu kız olmasa ne yapardı?

Kahvaltıları henüz bitmemişti ki TV'nin yolladığı araba geldi. Hazırlanmaları için çok az bir zaman vardı. Sevgi telaş içinde oradan oraya koşuşturmaya başlamıştı. Neden sanki bu kız daha önce gelip de onu uyandırmamıştı?

TV aracında giderlerken yolda çok az konuştular. Sevgi artık canlı yayına alışmıştı (!) Bu kez heyecanlanmayacaktı. Alper'i çok merak ediyordu. Acaba onunla telefon görüşmesi yapabilecekler miydi? Nilgün'ü o kadar sıkıştırmasına rağmen fazla bir şey anlatmıyordu. Yine kendisini olayların akışına bırakmıştı.

Nasıl ki bir nehir yoluna çıkan pek çok engeli aşarak bir yerlerde denize kavuşursa, o da biliyordu ki karşısına çıkan engelleri aşarak tıpkı bir nehrin suları gibi sonunda engin denize açılacaktı. Bu deniz onu daha büyük okyanuslara mı taşıyacaktı yoksa boğacak mıydı onu da bilemiyordu.

Pek kısa sayılmayacak bir yolculuktan sonra TV binasına gelmişlerdi. Sevgi gülümsedi, kısa bir zaman önce büyük ikramiyeyi kazandığı TV binasıydı burası. Kaderin garip bir cilvesi sonucunda hayatındaki başka bir büyük sevinç yine burada yaşanacaktı.

Canlı yayın hazırlıkları sürerken tanıdık yüzlere rastladı ve onlarla konuştu. Bu karşılaşma heyecanını yenmekte yardımcı olmuştu. Aslında çok da heyecanlı değildi ama yine de içi kıpır kıpırdı.

İşte programın yapımcısı ve sunucusu karşılarındaydı. Işıl ışıl gülen sımsıcak ve zekâ fışkıran gözleri, kısacık modern kesilmiş siyah saçları ve son derece şık kıyafeti içinde bir film yıldızını andırıyordu. Etkileyici ses tonu ile onları önce selamladı. Birlikte misafir bekleme salonunda karşılıklı oturdular. Biraz sonra program başlayacaktı. Sunucu diğer katılımcıların yanına gitmek üzere yanlarından ayrıldı. Giderken "Bugün güzel bir gün!" diye göz kırptı. Sevgi ve Nilgün heyecanla gülümsediler.

Biraz sonra programın anons müziği başladı ve cazibeli sunucu bir ceylan gibi sekerek salona girdi. Alkış koptu. Programa bir avukat ve bir psikiyatr da katılıyordu. Psikiyatr Serdar'dı. Kızlar bekleme salonundaki plazma TV'den programı izliyorlardı. Onlara sıra gelince programa çağrılacaklardı. Bulundukları odada birkaç hanım daha vardı. Sevgi etrafına bakındı ama Alper olabilecek bir genç ortalıkta görünmüyordu. Ama başka bekleme salonları da vardı. Programın özelliği buydu. Sadece canlı yayında karşılaştırıyorlardı insanları.

Sevgi yine hayallere daldı gitti: Biraz sonra Alper'i görecek-
lerdi ve yine "Ah! Yine mi sen kimsesiz, saçaklı kız!" diyecek-
ti. Ya da "Beni niye aradınız, sizi çoktan unutmuştum!" mu di-
yecekti? Ama o anda hissediyordu ki bu karşılaşma her iki kız
için unutulmaz bir deneyim olacaktı. Dakikalar geçiyor, prog-
ram devam ediyordu. Güzel sunucu her zamanki inanılmaz per-
formansı ile kayıpları buluyor, dargınları barıştırıyordu.

Sonunda Sevgi ve Nilgün'ün adı anons edildi ve programın
yapıldığı stüdyoya girdiler. Sevgi yine heyecanlanmıştı. Çok
duygulu anlar yaşanacağı kesindi. Şimdi sunucu, çocukluklarından
dan başlayarak kısaca öykülerini anlatıyordu. Sıra Sevgi'nin ka-
tıldığı yarışma programında yaptığı duygusal konuşmadan ba-
hisle akrabalarını aradığına gelmişti, Sevgi'ye dönerek: "Peki
niye bu programa katılmadınız? Biz çok kısa bir zamanda bütün
akrabaları buluyoruz! diyerek esprili bir şekilde sitem etti.

Sevgi buna karşılık:

-Hiç aklıma gelmedi inanın. Zaten her şey o kadar ani oldu
ki; ben hâlâ rüyada gibiyim. Ama buradan tekrar seslenelim. Ba-
kın bu benim annem ve babamla birlikte olan tek fotoğrafım. İ-
kisi de farklı bankalarda çalışıyorlarmış o zamanlar. Sizin de bi-
raz önce anlattığınız gibi, onları trafik kazasında kaybettim ve
beni babaannem büyüttü. Ama bana hiç bilgi vermedi. Neden ol-
duğunu bilemiyorum. Çünkü küçük bir çocuktum o zaman. Bil-
diklerimi siz de biraz önce söylediniz zaten. Onları ya da baba-
annemi tanıyan varsa ne olur beni arasın. Size güveniyorum.

Duygulanmıştı ve gözlerinde yaşlar tomurcuklanmaya başla-
mıştı. Aynı anda tam karşısında oturan Serdar ile göz göze gel-
di. Serdar ona sevgiyle hafifçe gülümsedi.

Sunucu Sevgi'nin yanına gitti. O da duygulanmıştı. Yıllardır
bu programı yapıyordu ve bu tür olaylarla çok karşılaşmıştı. A-
ma duygularını saklamayı öğrenememişti. Aslında öğrenmek de
istemiyordu doğrusu. Çünkü insandı, kadındı ve anneydi. Her
gün böyle akrabalarını arayan birileri oluyordu programında. A-
ranan kişiler genellikle bulunuyordu. Pek çok insanın böyle bir
kaybı olduğu için bu program çok seyrediliyordu.

Sevgi, duygularına hakim olması gerektiğini biliyordu. İçinden bir ses ona, bugün bir sürprizle karşılaşacağını söylüyordu. Bu stüdyodan çıktığında farklı bir şekilde evine dönecekti.

Programa katılanlar ilgiyle Sevgi'ye bakıyorlardı. Görünürde bu kadar genç ve güzel bir kızın böyle sorunları olabileceği hiç akla gelmiyordu. Hiç problemli birisi gibi durmuyordu.

Sunucu Sevgi'yle göz göze gelip içten bir gülümsemeyle:

-Bir sürprize hazır mısın?

diye sordu.

Sevgi hiç düşünmeden atıldı:

-Tabii ki hazırım!

-Biz Alper'i bulduk. Çocukluk arkadaşları olan sizlerin onu aradığını duyunca hem çok duygulandı hem de çok heyecanlandı. Hiç tereddüt etmeden hemen görüşmek istediğini bildirdi.

Heyecan son haddindeyken, sonunda Alper'i çağırdı.

Müzik eşliğinde bekledikleri o birkaç saniye Sevgi'ye bir asır kadar uzun geldi. Aklından yarışmaya katılmak için masaya doğru yürüyüşü geçti.. Annesinin sevdiği şarkının çalındığını duyduğu an... Bir an gözlerinin karardığını hissetti. "Ne olur! Ne olur şimdi bayılmayayım! Şimdi değil... Sakin olmalıyım..." diye düşündü içinden.

Kapı açıldı.

İçeri genç bir adam girdi.

Tüm gözler ona dönüktü. Stüdyodakiler ve ekran başındakiler de aynı duygulara sahiptiler o anda. Alper çok yakışıklı, çok şık, çok sevimli bir delikanlıydı. Zekâ fışkıran gözlerini bir an bile ayırmadan Sevgi'ye doğru yürüdü...

Uzun süredir görmediğiniz birisi ile ilk karşılaştığınızda onda çarpıcı değişiklikler görürsünüz. Özellikle aradan yıllar geçmişse... Fakat ne kadar değişmişse de o sizin tanıdığınız kişidir. Bir hareketi, söylediği bir söz onu yavaş yavaş eski tanıdık haline dönüştürür. Biraz daha zaman geçince ise aradaki ayrılık yılları tamamen kaybolur. O artık sizin yıllar öncesinde tanıdığınız kişidir.

Zaman yine durmuştu. Annesi yine şarkı söylüyordu. Bir anda karşısında oturan Serdar ile göz göze geldi, birden kendisini kötü hissetti. Sanki ona karşı bir suç işlemiş gibi bir his geldi geçti. Alper geldi, tokalaştı ve yanaklarından öptü. Sonra Nilgün'ün yanaklarından öptü. Nilgün ile birbirlerine öyle sıkı sarıldılar ki seyirciler bile şaşırdı. Küçükken birbirlerini hem çok severlerdi hem de kavga ederlerdi. Alper özellikle Sevgi ile çok uğraşırdı. Hep saçlarını çekerdi.

Sunucu Sevgi'ye sordu:

-Neden gülümsüyorsun bakayım? Aklına neler geldi bizimle de paylaşır mısın?

-Tabii ki paylaşırım. Çocukluk günlerimiz geldi aklıma! Alper aslında hiç değişmemiş. İlk anda onu çok değişik görmüştüm ama bana gülümseyince o çocuk Alper'i hemen tanıdım.

Alper hemen atıldı:

-Siz ikiniz de hiç değişmemişsiniz. Sokakta görsem tanırdım ben sizleri!

Programa katılan avukat söze girdi: "Bu programda yine bir ilki yaşıyoruz. Daha önce hep kan bağı olan kişileri buluşturduk. Hiç çocukluk arkadaşı bulmamıştık!"

Nilgün gözlerini Alper'den alamıyordu. Ne kadar yakışıklı olmuştu o sevimli ve küçük haylaz Alper!

Sevgi, üzerinde Serdar'ın bakışlarını tekrar hissetti ve ona baktı. Serdar onun gözlerinde bir şeyler araştırıyordu. O anda bir deniz kenarında daha doğrusu bir kumsalda yürüyüp daha sonra da bir ağaç altına oturmayı düşledi. Ama yanında Serdar da olmalıydı. Hatta Nilgün ve Alper de onlarla birlikte olabilirlerdi!..

Sevgi'nin yüzü aydınlanmış olmalıydı ki güzel sunucu ona doğru dönerek:

-Eeee ne düşünüyorsunuz, işte arkadaşınız karşınızda.

-Sadece şunu söylemek istiyorum Alper'e. diye başladı Sevgi. Anımsıyor musun, bana hep "Kimsesiz Kız" derdin. Ben de: "Peki ben nereden geldim? Kimsem yoksa nasıl oldum?"

Alper gülümsedi ve

-O zamanlar çocuktuk unutma bunu, çocuklar bazen acımasızdır!

-Sen her zaman daha acımasızdın bana karşı ama!

Sunucu tekrar araya girdi.

-Herhalde kavga etmek için gelmediniz buraya değil mi?

Hepsi birden gülmeye başladılar.

Programa telefonla eski bir okul arkadaşları daha bağlandı. Onunla da okul anılarını tazelediler. Güzel sunucu sonunda onları dışarı alması gerektiğini çünkü başka bir kayıp olayına başlamak istediğini bildirdi.

Sevgi, Nilgün ve Alper beraber çıktılar. Sevgi yine rüyada gibiydi. Biraz önceki düşünü onlara söyleyerek:

-Hadi, bir deniz kıyısına gidelim kumsalda yürüyelim sonra da bir ağaç gölgesinde yemek yiyelim.

Diğerleri de bu fikri benimsediler ve binanın dışına çıktılar. Sevgi ve Nilgün Alper'in arabasını görünce bir ağızdan

-Ooooooooooooo!

çektiler.

Alper de büyük bir gururla arabasının yanında durdu;

-Hanginiz öne geliyorsunuz?

dedi içinden de "keşke Sevgi gelse" diye geçirdi ve kızlara göz kırptı.

Kızlar hiç düşünmediler bile. Nilgün büyük bir keyifle geçip ön koltuğa oturdu. Sevgi de arkaya geçti. Böylece mesaj verilmiş oluyordu. Alper biraz bozulmuştu ama belli etmedi.

Ama Sevgi binada bıraktıkları ve program bitene kadar konuşamayacağı Serdar'ı düşünüyordu. Hemen o anda karar verdi. Gittikleri yerden telefonla çağıracaktı. İyi ki o gün cep telefonu numarasını almıştı.

Neşeyle gülümsedi. Hissediyordu artık günün bundan sonraki bölümü çok güzel geçecekti. Birden ona seslendiklerini duydu. Nereye gideceklerini soruyorlardı. Madem ki kumsalda yürüme ve yemek fikri (!) ondan çıkmıştı. Nereye gidileceğini de onun söylemesini bekliyorlardı haklı olarak.

Hiç düşünmeden

-Tabii ki Şile'ye gidiyoruz! Biraz uzak ama çok güzel olacak.

Köprü de hesaba katılırsa bir saatten fazla yolları vardı. Alper ve Nilgün konuşmaya başlamışlardı bile. O da hayallerine daldı ve çocukluğuna doğru güzel bir yolculuğa çıktı.

* * *

Okulun bahçesinde koşturup duruyordu. Birden, önde sınıfın en yaramaz çocuğu Alper ve arkasında diğer çocukların ona doğru geldiklerini gördü. Hemen etrafında çember oluşturup "Kimsesiz Kız" diye tempo tutmaya başladılar. Sevgi:

-Hayır ben kimsesiz değilim. Babanem var benim.

diye ağlamaya başladı.

Alper:

-Babaanneler çocuk doğurmaz ki, anneler doğurur. Senin ne annen var ne de baban!

Nilgün koşarak gelip ona sarıldı ve bağırmaya başladı.

-Çekilin buradan hepinizi öğretmene söyleyeceğim. Yürü, gidiyoruz. Hatta müdüre gidiyoruz.

-Nereye giderseniz gidin, o yine de "Kimsesiz Kız" olarak kalacak.

Bunu söyleyen Alper'di.

Sevgi belki farkında değildi ama güzel gözlerindeki hüzün o günlerin hediyesiydi. Bütün ömrü boyunca taşıyacaktı o ifadeyi...

Nilgün ve Sevgi koşarak müdürün odasına doğru giderken öğretmenlerini gördüler. Öğretmen Sevgi'nin yüzüne bakınca anlamıştı durumu. Her zamanki olay! Artık bu işe kesin bir çizgi çekmenin sırası gelmişti.

Kızları sınıfa yolladı, üzülmemeleri gerektiğini ve bu işi bugün halledeceğini söyledi.

Zil çalmıştı, öğretmen gelmemişti ve Alper de sırasında yoktu. Dersin yarısına doğru önce Alper sonra da öğretmen sınıfa girdi. Alper'in yüzü kıpkırmızıydı. Sevgi'ye gözlerinde yaş varmış gibi de gelmişti. Alper gibi bir çocuğun ağlayabileceğine asla ihtimal vermezdi. Yine de içi burkuldu. O her zaman kuvvetli görünen bir çocuktu.

Öğretmenleri dersin kalan bölümünde ders işlemeyip sadece konuştu. Sevgi o gün okul hayatının belki de en önemli ve unutulmaz dersini aldı. 93

Öğretmenin neler söylediğini tam olarak anımsayamıyordu. 8-9 yaşlarında olmalıydı. Arkadaşlarına, ailelerine ve tüm insanlara karşı görevlerinin olduğunu, bunların içinde en önemlisinin iyi ve dürüst davranış olduğunu söylemişti. Sözlerini şöyle bitirmişti ki bunu hiç unutmamıştı: "İnsan olmalısınız!"

O zaman bazı çocuklar gülmüştü. "Biz insan değil miyiz zaten?" demişlerdi. Öğretmen de tüm sınıfa: "Bunları yaşayarak öğreneceksiniz. Okuduğunuz bu okul size eğitim verecek. Ailenizden, çevrenizden, arkadaşlarınızdan, komşularınızdan da pek çok şey öğreneceksiniz. Böylece okul, aile ve çevrenizden aldığınız bilgiler sizin kişiliğinizde harmanlanıp sizi insan yapacak! İyi bireyler olun, hepinizden bunu istiyorum ve bekliyorum."

Aslında çok daha uzun olan konuşmanın ana hatları böyleydi. Sevgi bunu hiç unutmamıştı. Eve dönünce babaannesine de anlatmıştı. Babaannesi de öğretmenin görüşlerine aynen katılıyordu. "Sana kötü davranana bile iyi davranacaksın ki o yaptığından utansın." demişti. Sevgi bunu da aklının bir köşesine yazdı. Bir daha Alper onunla alay ettiğinde hiç kızmayacaktı sadece gülecekti. Çünkü o biliyordu zaten kimsesiz olmadığını. Annesi ve babası vardı ama erken ölmüşlerdi. Babaannesi ona sen "kimsesiz" değil ama "talihsiz" bir kızsın. Ama ne yapalım ki takdir-i ilahi böyleymiş demişti.

Çocuk Sevgi o gece yatağında şöyle düşündü. "Yarın sabah benim insan olmak için ilk günüm. Bakalım Alper beni kızdırdığında ona gülümsediğimi görünce ne yapacak çok merak ediyorum bunu doğrusu!"

Ertesi gün ve daha sonraki günlerde asla Alper ya da diğer çocuklar onu "Kimsesiz Kız" diye kızdıramadı. Çünkü Alper bir daha okula hiç gelmedi.

Çok sonraları duyduklarına göre, Alper'in ailesi öğretmenin konuşmasından sonra onu okuldan alıp özel bir okula vermişlerdi. Oldukça uzak olan okula servisle gidiyordu ve daha sonra da o semtten taşındıkları için bir daha Alper'den hiç haber alamadılar.

İlkokul, ortaokul ve lise yıllarında zaman zaman diğer arkadaşlarıyla Alper'den bahsedip konuştukları oldu, ama hiçbiri onu arayıp bulmayı düşünemedi o zamanlar.

Aradan geçen uzun yıllardan sonra ve bu güzel güneşli mayıs gününde, Alper'in arabasında bulunuyorlar ve onunla kumsalda yürümeye, yemek yemeye ve eski çocukluk günlerini konuşmaya gidiyorlardı.

* * *

Birden duyduğu bir sesle düşler ülkesinden gerçek dünyaya sert bir iniş yaptı. Alper arabayı durdurmuş Nilgün ile arkaya dönmüşler ve ona sesleniyorlardı.

-Hey, gördüğün rüya sana kalsın, haydi geldik, iniyoruz!

Sevgi birden irkildi ve toparlandı. Uyumuş muydu yoksa sadece çocukluk düşlerinde kaybolup gitmiş miydi?

Arabadan indiler. Yolun aşağısında göz alabildiğine kumsal uzanıyordu. Sevgi oraya doğru koşmak için acele etti. Arkasından Alper ve Nilgün de geliyorlardı. Neredeyse akşam oluyordu. Kumsalın bitiminde dışarıda masaları olan bir kafe vardı. Bir kısmı ağaçların altındaydı. Akşam güneşi, ağaçlara, kafeye ve tüm kumsala kırmızının tonlarını serpiştirmekle meşguldü. Sevgi orayı gözüne kestirdi, koşarak gitti. Onu kendi haline bırakmışlardı. Sevgi bir an önce oturmayı ve Serdar'ı aramayı düşündü. Program bitmiş olmalıydı. Ama ya gelmezse, ya işim var derse? Ama gelmeliydi. Burada onunla olmalıydı. Çok istiyordu gelmesini. Artık emin olmuştu, istediği kesinlikle Serdar'dı.

Gidip bir sandalyeye oturdu. Uzaktan neşeyle konuşup-gülerek gelen Nilgün ve Alper'e baktı. Birbirlerine çok yakışmışlardı! Belki de sevgili olurlardı. Küçükken hiç anlaşamazlardı ama şimdi her şey değişmişti. Artık büyümüşlerdi kocaman birer insan olmuşlardı. Acaba?

Telefonunu çıkarıp tedirgin bir ifadeyle Serdar'ı aradı. Telefon birkaç kez çaldı. Tam kapatıyordu ki Serdar'ın sesini duydu.

-Ben de tam seni arayacaktım. Neredesiniz?

Sevgi sevinçle yanıt verdi:

-Şile'deyiz seni de bekliyoruz. Gelirsen gerçekten seviniriz.

-Gelirim sen tam olarak yeri tarif et.

Sevgi artık ayakkabılarını çıkarıp kumsalda koşabilirdi. Öyle de yaptı.Güneş artık iyice alçalmış, adeta denizin üzerinde bir ateş topu gibi asılı kalmıştı. Her yer ve her şey inanılmaz güzellikte, sarı, turuncu ve kırmızının tonlarını taşıyordu. Muhteşem manzara karşısında büyülenmiş gibiydi. Güneşin enerjisi tüm sulara yayılmış ve denizin üzerinden dalga dalga yansıyarak Sevgi'yi kuşatmıştı. Zamanın durduğu o anda başka bir boyuta geçmişti Sevgi...

Bir süre önce gördüğü bir rüyayı anımsadı. Rüyasında genç bir adamla birlikte böyle bir kumsalda yürüyordu. Birden o genç adamın Alper olduğunun ayırdına vardı. Tarifi imkânsız bir duygu seline kapıldı. O anda rüyasında gencin Alper değil de Serdar olmasını arzu ediyordu. Ama rüyasını kesin olarak anımsamıştı. Şu anda karşıdaki çay bahçesinde arkadaşı Nilgün ile beraber oturan ve neşeyle konuşan Alper'di, bundan emindi. Keşke bu rüyayı hiç görmemiş olsaydı, ya da hiç anımsamasaydı.

Hüzünlenmişti, uzakta görünen çocukluk arkadaşları ve şu anda yolda olan ve onu çok etkileyen Serdar'ın her dakika yaklaşmakta olduğu duygusu gözlerini yaşarttı. Gözlerinden süzülen yaşlara engel olmadan yürüdü. Bir ara denize o kadar yaklaştı ki ayakları suyun içinde ıslanarak yürüyordu. Ama bunun farkında bile değildi. Sadece denizdeki hafif dalga seslerini duyuyordu. Tüm dünya silinmiş, sadece bu kumsal kalmıştı. Akşamla gecenin birleştiği o ince çizgideydi. Kumsal gerçek dünyadan o kadar farklı renklerle bezenmişti ki Sevgi başka bir gezegende olduğunu düşündü bir an...

Bir kez daha yapayalnız hissetti kendisini. Öyle ki hiç kimse bu yalnızlığı gideremeyecek gibiydi. Birden duyduğu sesle kendine geldi. Nilgün ve Alper deli gibi adını haykırıyorlardı.

Birden neredeyse dizlerine kadar suyun içinde durduğunu anladı. Bir ürperme geçti içinden. Uykudan uyanmış gibi silkindi. Ona doğru koşan arkadaşlarına baktı. Birisi kendisini bildi bileli arkadaşıydı. Her zaman yanındaydı. Diğeri de bir zamanlar çocukluk günlerini paylaştıkları, onu hep kızdıran, hep nefret ettiği, belki de masumca âşık olduğu bir çocuktu. Uzun yıllar görüşmemiş olmalarına karşın şu anda ona doğru koşarak gelen genç aynen çocukluğunda onunla alay etmek için arkadaşlarını toplayarak gelen elebaşı, yaramaz çocuk Alper'di. Sanki zaman hiç akmamıştı. İlkokuldaydılar, okulun bahçesinde oturmuş ağlıyordu. Nilgün koşarak, adını haykırarak ve korumak amacı ile ona doğru geliyordu. Çocuklar etrafında halka olmuş alay ediyorlardı.

İç içe geçen anılar yine ağır gelmişti. Karanlık bir kuyuya doğru çekildiğini hissediyordu. Bu kez kuyu su ile doluydu. Suyun soğukluğunu duyuyordu ama o kadar halsizdi ki kıpırdayamadı bile...

* * *

Ona okul bahçesindeki olayları tekrar yaşatan, kısa ya da uzun olabilecek çok yorucu zaman dilimi geçtikten sonra gözlerini açtığında beyaz tavanı gördü önce. Sonra da ona merakla bakan, gözleri kocaman kocaman açılmış iki erkek bir de kız gördü. Görüntü netleşmişti, üçünü de tanıyordu. Serdar da gelmişti, özelikle onu gördüğüne çok sevinmişti. "Haydi, gel kumsalda koşalım seni bekliyorum burada..." demek istedi. Daha doğrusu bunları söylemek için ağzını oynattı ama sesi çıkmadı.

Arkadaşları ona rahatlamasını söylediler. Oysa çok rahattı. Özellikle de arkadaşlarını yanı başında görmekten çok mutluydu. Demek ki bayılmıştı yine. Bu arada Serdar da gelmiş onları bulmuştu. Ne kadar baygın kalmıştı? Bunu Serdar'a sormalıydı. Çok duygulandığı zaman neden bayılıyordu acaba? Yoksa psikolojik bir rahatsızlığı mı vardı?

-Kendini nasıl hissediyorsun?

Gözlerinde, ancak bir annenin çocuğuna bakarken görülebilecek şefkat ve endişe karışımı bir ifade ile bu soruyu Nilgün sormuştu.

-Ben gayet iyiyim. Kumsalda romantik bir yürüyüş yapıyordum. Ne oldu böyle bana?

-Biraz fazla romantikti sanırım. Yanında kimse olmadan da romantik bir yürüyüş yapılabiliyormuş demek ki (!)

Bu kez konuşan Serdar'dı. Sevgi, solgun yüzüne renk veren bir gülümseme ile:

-Bunca yıldır yapılabiliyordu neden bundan sonra da yapılmasın ki?

-Neyse, yavaş yavaş kalk da bir yemek yiyelim. Sanırım hepimiz acıktık.

Bunu Alper söylemişti. Sevgi onun da gözlerinde Nilgün'ün gözlerindeki ifadeyi yakalar gibi oldu bir an. Ama bunu şimdi düşünmemeliydi. Arkadaşları ile bir aradaydı, problem yaratmamalı ve keyfini çıkarmalıydı.

Sevgi yavaşça kalktı. Kafenin içinde bir kanepede yatıyordu. Orada uzun bir süre yatmış olmalıydı ki hava kararmıştı. Nilgün babasını aramış ve geç döneceklerini söylemişti. Yakındaki restorana girdiklerinde oturma düzeninde bir karışıklık yaşandı. Sevgi o anda hissetti ki Alper onun karşısında oturmak istiyor ve Nilgün ile değil de onunla konuşmak istiyor. Serdar da o kadar uzun yoldan sırf Sevgi ile bir yemek yemeye gelmişti ve haliyle o da aynı isteği taşıyordu. Serdar Nilgün'ü ve Alper'i karşılıklı oturttuktan sonra kendisi de Sevgi'nin karşısına oturdu. Sevgi, Alper'in gözlerinden bir bulut geçtiğini gördü ve nedense pek hoşuna gitmedi.

Dört genç, neşe içinde, gülerek, konuşarak ve güncel olaylardan bahsederek yemeklerini yediler. Hepsi için o gün yorucu geçmişti ve çok da özel bir gündü.

Sanki aralarında anlaşmışlar gibi o günkü TV programından hiç bahsedilmedi. Sevgi'nin bu konuda hassas olduğunu bildikleri için onu üzmek istemiyorlardı. Nasıl olsa, daha sonra tekrar bir araya gelip konuşabilirlerdi.

Sevgi, Serdar'ın hayranlık dolu bakışlarını üzerinde hissediyordu. Fakat Alper'in içinde çok fazla duygu barındıran gözlerini de sık sık yakalıyordu.

Bu gözlerde önce bir pişmanlık, sonra hayranlık, biraz merak, biraz da şefkat vardı. Toplumun içinde oldukları için bu duygularını sakladığından emindi Sevgi. Eğer ikisi yalnız olsalardı çok daha fazla şey okuyabileceğini biliyordu.

Sonunda kızlar çok geç olduğunu ve gitmeleri gerektiğini söylediler. Sevgi

-Bir ricam olsa mümkün mü?

diye sorunca hepsi ona döndü.

-İzin verirseniz Serdar ile şu kumsalda biraz yürümek istiyorum.

-Biraz önceki gibi olmasın ama!

diye atıldı Nilgün yine o anaç ifadesiyle.

-Sadece birkaç dakika canım! Kumlarda yürürüz. Serdar?

Sevgi yine Alper'in gözlerinde saklayamadığı hüznü gördü. Ama Serdar onun elini tutmuş ve kumsala inen merdivenlere doğru yürümeye başlamışlardı bile.

Nilgün ve Alper de çaresiz onların arkasından kumsala indiler. Gece çok güzeldi. Ay henüz tam yuvarlak değildi ama yine de mehtabın güzelliği karşısında gençler çok etkilendiler. Kumlarda yürümek zor da olsa onların umurunda değildi. Hepsi mutluydu o anda. Bir tur atıp döndüler ve arabalarına doğru gittiler. Serdar, Nilgün'e ve Alper'e rica edip Sevgi ile birlikte dönmek istediğini söyledi. Böylece dönüş yolculuğuna başladılar.

Dönüş yolunda Sevgi kendisini iyi hissetmediği için pek konuşmadılar. Sadece ertesi gün buluşmak üzere sözleştiler.

Alper ve Nilgün ise son derece neşeli bir yolculuktan sonra Sevgi'nin evinin önünde durdular. Önlerindeki arabada Sevgi ve Serdar onları bekliyordu. İki genç o güzel akşam için teşekkür edip onlardan ayrıldılar.

Sevgi ve Nilgün eve çıktılar. Nilgün daha önce evi aradığında Sevgi ile beraber kalacağını söylemiş olduğundan rahattılar. Artık bu gece ikisine de uyku yoktu. Biraz sonra kızlar duşlarını almış, çay fincanları ellerinde karşılıklı oturmuşlardı. Sevgi, yapacakları konuşmanın hayatında bir dönüm noktası olacağını o anda bilemezdi.

Nilgün, Alper'in Sevgi'ye bakışlarını görmüştü. Marcel Proust'un dediği gibi "Dost gözünden hiçbir şey kaçmaz!"dı gerçekten. Şimdi yapacakları konuşmadan biraz çekiniyordu. Arkadaşı onun için çok önemliydi. Sevgi'ye ayıldığı zaman baktığı gibi endişe ve şefkatle bakıyordu yine...

-Eeeeeee küçük anne, söyle bakalım! Önce seni dinleyeceğim ben sonra konuşacağım!

Nilgün korktuğu başına gelmiş gibi irkildi.

-Önce sen anlatsana... Alper'i nasıl buldun? Hoş çocuk değil mi? Hiç de değişmemiş.

-Evet hiç değişmemiş! Ama artık çocuk değil genç bir delikanlı. Peki sen nasıl buldun? Ondan hoşlandın sanırım? "Ön koltuğa kim oturacak" diye sorduğunda senin oraya oturmak için hevesli olduğunu düşündüm.

100   Nilgün çok zor bir durumdaydı. Şu anda nasıl yanıt vereceğini bilemiyordu.

-Hoşlandım tabii ki! Ne de olsa o bizim çocukluk arkadaşımız. Koltuk meselesine gelince, benim oturmamı istediğini düşündüm, yanılmam genelde...

-Yanılmadın canım, peki çocukluk arkadaşlığından öte bir his yok mu?

Nilgün bu soruyu duymamış gibi yaptı ama Sevgi üsteledi.

-Nilgün, sen Alper'in bana bakışını gördün, her şeyi anladın. Bana yardımcı ol lütfen!

Sevgi umutsuzca devam etti.

-Alper bana karşı bir vicdan azabı duyuyor ve bunu başka duygularla karıştırabilir. Ne olur bana bu konuda yardım et. Anladım ki sen ondan hoşlandın.

-Kesinlikle! Ama eğer o senden hoşlandığını bana söylerse ne olacak?

-Böyle bir şey olmayacak!

-Ama bana yarın seni arayıp özel olarak konuşmak istediğini söyledi.

-Tamam konuşabiliriz. Aslında Alper bana karşı mahcup, vicdan azabı çekiyor. Ama o zaman hepimiz küçüktük, bir çocuğun söylediği sözler için yargılama yapamayız. Ben hepsini unuttum. O benim sadece ilkokul arkadaşım. Biz de onu öğretmene şikâyet ettik diye ailesi okuldan almıştı. Unuttun mu? O günden sonra bir daha onu görmedik!

-Bakalım yarın bize neler getirecek?

-Yarın ben Serdar'la buluşacağım. Alper'le görüşemem ki!

-Bilmem valla, sanırım yarın her ikisiyle de görüşeceksin. Bana öyle geliyor.

Sevgi, Nilgün'ün tedirgin halinden anlamıştı. Nilgün, Alper'den hoşlanmıştı ve onunla görüşmek istiyordu. Sevgi'nin Alper'e karşı küçücük de olsa bir ilgisi varsa kesinlikle bunu düşünemezdi. Her ne kadar Sevgi Serdar'dan hoşlandığını ve onunla birlikte olmak istediğini söylese bile içinden bir his böyle olmayacağını söylüyordu. Nilgün, her zaman içinden gelen sese kulak vermişti. Ne zaman görünen şeyin aksini hissetse aynen çıkardı. Bu olayda da böyle olacaktı. Yarın Alper, Nilgün'ü değil de Sevgi'yi arayacak ve ondan hoşlandığını söyleyecekti. Bundan emindi.

Sevgi de aynı şekilde düşünüyordu. Yarın Serdar'dan önce Alper onu arayacak ve onunla mutlaka görüşmek istediğini söyleyecekti. Kafası o kadar karışıktı ki. Kumsalda, daha doğrusu dizlerine kadar denize girmiş bir halde arkadaşlarının kollarında bayıldığı andaki gibi hissediyordu, başı dönüyordu. Hayatın zorluklarını bir kez daha hissetti. Babaannesini özlemle andı. Keşke o anda yanında olsaydı. Kucağına yatsaydı, o da başını okşasaydı ve ona güzel sözler söyleseydi. Ne olurdu sanki bu kadar erken ölmeseydi!

Nilgün uykulu bakmaya başlamıştı. Çok geç olmuştu ve yarın yeni bir gündü. Yeni bir gün de yeni olaylara gebeydi. Kızlar huzursuz bir uyku uyumak için odalarına çekildiler.

9. BÖLÜM

Sabah telefonun sesi ile uyandılar. Arayan dün katıldıkları TV programının sunucusuydu. Bizzat aramasının sebebini Sevgi'ye çok önemli diyerek açıklıyordu. Onunla ilgili ilginç bir gelişme olmuştu ve bugün mutlaka programa bekliyordu. Biraz sonra onu aldıracaklardı.

Sevgi telefonu kapattıktan sonra şaşkınlıkla bakan Nilgün'e:

-Haydi! Hemen kahvaltı etmeliyiz. Birazdan gelip bizi alacaklar.

Acele yapılan bir kahvaltıdan sonra TV kanalına ait araba gelmişti. Yolda sadece havadan sudan konuştular. Sevgi çok heyecanlıydı. Herhalde bir akrabası bulunmuştu yine. İyi ki Nilgün bu programa çıkmıştı Alper'i bulmak için. Belki de çok yakın birisi gelirdi bugün.

Yolda Sevgi, Alper'i arayıp o gün TV'de olduklarını ve görüşemeyeceklerini bildirdi. Ertesi gün görüşebilirlerdi. Serdar'la ise aynı programda olacaklardı, ama belki konuşmak için fırsat bulamayabilirdi. En azından onu görecekti.

TV binasına girdiklerinde, yüreği bir kuş gibi çırpınırken güzel sunucunun ona doğru gülümseyerek yürüdüğünü gördü. "İyi haberler var anlaşılan!" diye içinden geçirdi Sevgi.

-Hoş geldiniz kızlar! Sürprizlere hazır mısınız?

-Her zaman hazırız biz!

diye ikisi bir ağızdan yanıt verdi.

Bekleme odasına doğru giderken Sevgi merakla sordu:

-Kimi buldunuz lütfen söyler misiniz? Yakın akrabam mı acaba?

-Bu kadar bekledin biraz daha bekleyeceksin. Şimdi sizi yalnız bırakıyorum. Çağırınca gelirsiniz.

Sevgi ve Nilgün bir kez daha bir TV stüdyosunda bekleme odasındaydılar. Artık alışmışlardı ama Sevgi yine de heyecanlıydı. Yüreğinin atışları yavaşlamamıştı. Bekliyordu neyi beklediğini bilmeden. Son günlerde hayatında o kadar çok olay olmuştu ki bu minicik yaralı yüreğine çok fazla gelmişti. Belki de sık sık bayılması bundandı. Serdar ile bu konuyu konuşmalıydı. Yoksa farklı bir hastalığı vardı da bilmiyor muydu, ya da farkında olmadan bunalım mı geçiriyordu. Belki de bu kısa , sürede yaşadıklarını kaldırmakta zorlanıyordu.

Zaman geçiyor, bekliyorlar fakat bir türlü çağrılmıyorlardı. Bekleme salonunda onlardan başka kimse de yoktu. Sadece plazma TV'den yayındaki programı seyrediyorlardı. Güzel sunucu sık sık biraz sonra büyük bir sürprizi olduğunu anons ediyordu. Büyük olasılıkla onlara ait bir sürprizdi bu.

Sonunda bekledikleri an geldi. Kendi isimleri çağrıldı ve iki kız kalkıp kapıdan girdiler. Sunucu onları oturttu ve sürprizini açıkladı.

-Sevgi, şimdi merak ediyorsun değil mi bugün seni buraya neden çağırdığımızı? Biraz sonra çok şaşıracaksın.

Stüdyodaki misafirlere ve ekran başındaki seyircilere kısa bir anımsatma konuşması yaptı.

-Sevgi dün buraya geldi, annesini ve babasını üç yaşındayken bir trafik kazasında kaybetmiş. Onu babaannesi büyütmüş. Sadece annesinin ve babasının değişik bankalarda çalıştığını biliyor ama hangileri olduğunu bilmiyor. Elinde sadece bir fotoğraf var.

Ekranda Sevgi'nin annesi ve babasının ortasında otururken çekilmiş fotoğrafı yayınlandı tekrar.

Sevgi o kadar heyecanlıydı ki Nilgün'ün eline sarıldı. Arkadaşından destek alıyordu.

Sunucu sonunda bombayı patlattı:

-Sevgi şimdi derin bir nefes al bakalım bu kapıdan içeri kim girecek?

-İnanın bana hiç fikrim yok. Siz aradığınız andan beri düşünüyorum ama bulamadım. Sanırım bir akrabam olacak!

-Hayır akraban değil ama akraba kadar yakın birisi. Seni daha fazla bekletmeyeyim de çağıralım. Nazan hanım buyurun!

105

Sevgi o anda nasıl olup da kalbinin durmadığına şaşırdı. Hayatında bu kadar heyecanlandığını hiç anımsamıyordu. Daha önce yarışmaya katıldığında da çok heyecanlanmıştı ama bu çok farklıydı. Belki de hayatının tüm gizlerini çözecek birisiydi Nazan. Belki de teyzesiydi. Birden öyle olmasını arzuladı. Keşke annesinin kardeşi olsa.

Kapı açıldı ve içeri bir hanım girdi. 40-45 yaşları arasında olabilirdi. Şimdiye kadar bu yaşta çok güzel kadın görmüştü. Nilgün'ün annesi de aynı yaşlarda ve çok güzel bir kadındı. Kızıl saçlı, ela gözlü ve uzun boyluydu. Annesinin eski fotoğrafı arkadaki plazmada duruyordu. Ama gelen hanımla annesi arasında bir benzerlik göremedi. Ama kardeşler birbirine benzemek zorunda değillerdi.

Güzel bir hanım ona doğru yürüyor ve ağlıyordu. Sevgi artık emindi, çok yakın bir akrabasıydı. Ama kimdi?

Sevgi, Nazan'ın kendisine doğru açılmış kollarına doğru atıldı. Her ikisi de hıçkırıklara boğulmuştu. Stüdyodakiler ve sunucu da ağlıyordu. Sevgi hemen döndü ve Nazan'ın gözlerinin içine baktı.

-Benim teyzemsin değil mi? Ne olur öyle olduğunu söyle!

-Hayır teyzen değilim maalesef!

Nazan büyük bir üzüntüyle yanıtladı Sevgi'yi.

Oturup kendilerine gelmeleri için geçen kısa sürede Sevgi yıkıldığını hissetti. Oysa kendisini nasıl da hazırlamıştı Nazan hanımın teyzesi olduğuna.

-Sevgi, sana söylemem gereken çok şey var. Nazan senin teyzen değil ama sana teyzen kadar yakın birisi. Çünkü o annenin çok yakın bir arkadaşı. Aynı bankada birlikte çalışıyorlardı. Annenin trafik kazasında ölümüne kadar...

Sunucu da duygulanmıştı.

Sevgi'nin gözlerinde yaşlar pırıl pırıl parlıyordu, karşısındaki insanları zar zor seçiyordu. Nazan yanında oturuyor ve ellerini tutuyordu.

-İnanamıyorum, o kadar çok benziyorsun ki ona!

Sevgi için bir sürpriz daha! Annesinin bildiği tek fotoğrafında pek bir benzerlik görmemişti. Daha doğrusu böyle bir benzerlik aramak aklına gelmemişti. Tekrar plazmada annesinin fotoğrafına baktı. İkisinin ortasında oturuyordu. İki yaşlarında olmalıydı o günlerde. Annesi ne kadar güzeldi.

Nazan, sunucuya hitaben: "Belki yüz hatları tam olarak benzemiyor ama hareket ve mimikleri annesine öyle benziyor ki. Biraz önce Sevgi ile konuşurken yıllar öncesine gittim."

Değişik bir duyguydu bu Sevgi için. Hayatında ilk kez birisi ona annesine benzediğini söylüyordu. Zaten hayatında, şimdiye kadar annesinden bahseden kimse de olmamıştı ki! Mutlulukla gülümsedi. Bir an önce Nazan'la yalnız kalmak, ona sarılmak, öpmek annesinden kalan bir kokuyu olsun almak istiyordu.

Nilgün'ün gözyaşları ile ıslanmış yüzüne baktı. Neler hissettiğini anlaması zordu. Yıllardır arkadaştılar, kardeşten daha yakındılar. Birbirlerinin bakışlarından ne düşündüklerini ya da ne yapmak istediklerini anlarlardı. Nazan ve annesi de böyle arkadaş mıydılar acaba? Onlar da bir zamanlar birbirlerinin gözlerinden düşüncelerini okuyabilmiş miydiler?

Sunucu çok anlayışlıydı. Onların halinden yalnız kalmak istediklerini anlamıştı. Bu hepsi için güzel bir karşılaşmaydı. Ama Sevgi için bundan sonrası çok daha önemliydi.

TV binasının dışına çıkıp Nazan'ın arabasına doğru yürüdüklerinde Sevgi mutluluktan uçuyordu. Anadolu yakasına geçtiklerinde Nilgün, babasının işyerine gideceğini ve uygun bir yerde bırakılmasını rica etti. Sevgi, patronunun ona gösterdiği anlayış sayesinde belirsiz bir süre işe ara vermişti. Onu bıraktıktan sonra Nazan, Sevgi'yi kendi evine götürmek istediğini belirtti. Nasıl hayır diyebilirdi ki?

Yolda çok fazla konuşmadılar. Nazan'ın evine geldiklerinde kapıyı aşağı yukarı Sevgi yaşlarında bir genç kız açtı. Annesinin güzel gözlerine sahipti. Fakat saçları koyu kahverengi ve kısacık kesilmişti. Çok sıcak bir kucaklayışla karşıladı her ikisini de.

-Biraz önce TV'de seyrettim sizi. Annem o kadar çok bahsederdi ki sizden.

Sevgi onların evlerinde annesi, babası ve kendisi hakkında konuşulduğunu duyunca yüreğindeki yara aniden açıldı ve kanamaya başladı. Burgaç, yarasının içinde dönmeye başlamıştı yine. Acaba neden babaannesiyle yaşadığı yıllarda tek bir gün bile olsun gelip de onları ziyaret etmemişlerdi? Bu soruların yanıtlarını öğrenmek istiyordu ve çok heyecanlıydı.

Biraz sonra Sevgi, Nazan ve Sevgican ile oturmuş çay içiyorlardı. Sevgican Sevgi'den sadece 2 ay büyüktü. İki arkadaş hemen hemen aynı dönemlerde evlenmiş ve iki ay ara ile doğum yapmışlardı. Sevgi, karşısında oturan kıza baktı. Ne kadar da mutlu görünüyordu. Annesi ve babası ile büyüyen bir çocuktu o. Tıpkı Nilgün ve diğer arkadaşları gibi...

Onu kıskanmış mıydı? Bilemiyordu bunu düşünmesi gerekirdi. Hayır bu yanlıştı. Hayat ona kötü davrandı diye başkalarına kızamazdı. Onun da artıları vardı. Hep kendisinde olan ama başkalarında olmayanları düşünmeye çalışmıştı. O zaman mutlu olmak için ortada daima bir neden oluyordu.

Sevgican, iyi bir eğitim almasına karşın üniversitede istediği bölümü tutturamamıştı ve hâlâ dershaneye devam ediyordu. Sadece bu bile onun daha şanslı olduğunu gösteriyordu. Çünkü iyi bir işi vardı ve istediği bölümde okuyordu. Biraz dişini sıkarsa bir yıl içinde okulunu bitirebilirdi.

Sevgican, pek çok arkadaşa sahip olmasına rağmen, çok samimi, içini dökebileceği, onu anlayacak ve incitmeyecek tek bir arkadaşı yoktu. Her gün pek çok kız ve erkek arkadaşı gelir birlikte gezerler, yerler içerler, sıra duygularını paylaşmaya geldiğinde bir tanesi bile ortalıkta görünmezdi.

Ama tek şansı annesiydi. Annesi, o liseyi bitirdiği yıl bankadan emekli olmuştu. Biraz da bu yüzden üniversite sınavlarında kazanamadığına seviniyordu. Çünkü o yaştan sonra annesi ile adeta arkadaş olmuşlar ve çok şey paylaşmışlardı.

Bunları anlatırken Sevgican'ın yeşil gözleri birden elâya döndü. Sevgi onun ağlayacağını sandı bir an. Ama o usta bir manevra ile gülümsedi. Gülümserken ne kadar da sevimliydi. O anda arkadaş olmalarını ve bunun uzun sürmesini istedi. Fakat hemen aklına Nilgün geldi. Çok küçük yaşlardan beri Nilgün'ü tanırdı. Annesi ve babası öldükten sonra babaannesine verildiğinde Nilgün'lerin evinin yakınına taşınmışlardı. Ama tanışmaları ilkokul sıralarına rastlıyordu.

Acaba Sevgican ile samimi olsa Nilgün kıskanır mıydı? Ya da üçü arkadaş olsalar? Ama üç kişinin arkadaşlık etmesi çok zordur. Daima birisi açıkta kalır.

Nazan, bu buluşmanın gerçekleşeceğini bildiği için sabah erkenden kalkmış ve bir sürü güzel yiyecekler hazırlamıştı. Sevgi, elde açma patatesli böreğe, cevizli kurabiyelere ve tahinli çöreğe bayılmıştı. Bunları sevdiğini nasıl tahmin etti diye düşünürken Nazan onun düşüncelerini okumuş gibi konuşmaya başladı:

-Tüm bunlar senin annenin, benim de sevgili arkadaşımın en sevdiği şeylerdi. Senin de seveceğini düşündüm. Eminim ki o da bizi bir yerlerden görüyordur ve bizim bir araya gelmemize seviniyordur!"

Son sözcüklerini söylerken onun da gözleri bal rengine dönmüştü. Sevgi bir an bile tereddüt etmedi Nazan'ın kollarına atıldı ve hıçkıra hıçkıra ağlamaya başladı. Şimdi üçü de ağlıyorlardı.

Çok sisli ve uzak bir anısı canlandı birdenbire. Annesi de ona aynen böyle sarılır ve saçlarını okşardı. O da iyice sokulur ve annesinin başka hiç kimsede olmayacağına inandığı kokusunu içine çekerdi. Şu anda aynı kokuyu duyduğundan emindi. İçi katılıyordu yine bayılmaktan korktu. Bu an hiç bitmesin, yumuşak eller saçlarını sonsuza kadar böyle okşasın istiyordu...

Nazan oturduğu kanepede Sevgi'yi kucağına yatırmış başını okşuyordu, onun uykuya daldığını kızının işareti ile anladı.

Yıllar öncesine gitmişti. Nalân ile bankaya giriş sınavında tanışmışlar ve birbirlerine gizlice yardım etmişlerdi. Her ikisi de sınavı kazanmış ve bankanın genel müdürlüğünde çalışmaya başlamışlardı. O zamanlar ikisi de nişanlıydı. Nişanlılarını da tanıştırmışlar ve her hafta sonu birlikte gezmeye başlamışlardı. Beyler de iyi anlaşmışlardı. Hatta bazen kızlarla dalga bile geçiyorlardı.

-Sizin isimleriniz de huylarınız da benziyor. Yarın çocuklarınız olunca da böyle kafiyeli isim verirsiniz Allah bilir!

Aslında isimlerinin söylenişleri benziyordu ama anlamları tamamen zıttı. Nazan, nazlı; Nalân ise inleyen, ağlayan anlamına geliyordu. Gerçekten de Nazan elbebek, gülbebek ve nazlanarak büyütülmüştü. Buna karşılık Nalân, fakir bir ailenin zorluklar içinde büyümüş kızıydı ve yarım gün çalışarak; Nazan ise kolejde okuyup çok rahat bir şekilde üniversite eğitimlerini tamamlamışlardı.

* * *

Kızlar nişanlılarının dalga geçmelerine karşın çocuklarına kafiyeli değil, benzer isimler vermeye karar vermişlerdi. Her i-kisi de kız çocuğu olsun istiyordu ve o günlerde kızlara Sevgi ve Sevgican isimlerini vermeyi kararlaştırmışlardı.

Bir ay ara ile evlendiler. Birbirlerine ve bankaya yakın evler tuttular. Ertesi yıl birlikte tatile gittiler. Peş peşe hamile kaldıklarını anladılar. Yine kısa aralıklarla doğum yaptılar. İlk doğan kıza daha önce belirledikleri üzere "Sevgican" iki ay sonra doğana ise "Sevgi" adları verildi.

Aileleri genişleyen arkadaşlar mutluydular. Daha sonraki üç yıl üst üste, çocuklarını da alarak gittikleri tatillerde çok eğlenmişlerdi. Nazan son tatilden dönerken bir sonraki yıl için yapılan planlara nedense katılmakta zorlandı. İçinden bir ses bunun, birlikte geçirdikleri son tatil olduğunu fısıldıyordu. Güçlükle o sesi bastırdı ve beyninin derinliklerine attı. Ama birkaç ay sonra sevgili arkadaşının eşi ve kızı ile geçirdiği trafik kazasını duyduğunda tarifi imkânsız bir üzüntü duydu. Belki de onlara daha dikkatli olmalarını söylemeliydi. Bu his yıllar boyu onu takip etti. Kazadan sonra babaannesinin gelip, küçük Sevgi'yle birlikte bilinmeyen bir adrese taşındıklarını duyduğunda ise bu his korkunç bir vicdan azabına dönüştü.

Çünkü daha önce Nalân ile yaptığı sıradan bir konuşma sırasında birbirlerine söz vermişlerdi: "Birimiz daha erken ölürse kızı diğerine emanet. Ona annesizliğini hissettirmeyecek!"

Ama bu böyle olmamıştı. Arkadaşı çok erken ölmüştü ve kızını adeta kaçırırcasına götürmüşlerdi. Ne kadar arasa da bulamamıştı. O sıralarda kendi ailesi ve eşinin ailesi ile bazı sağlık problemleri yaşamış, peş peşe gelen hastalıklarla uğraşmıştı. Sonunda rahatlayıp da arayabildiğinde ise aldığı sonuç kocaman bir hiçti. Babaanne bulunmamak için olsa gerek pek çok adres değiştirmişti.

Seneler geçmiş, içindeki ateş hiç sönmemiş ama küllenmişti.

Sevgili arkadaşını ve kızını asla unutmamıştı. Ta ki bir gün, TV'de yarışma programında genç bir kızı seyredene kadar...

Tesadüfen TV'deki yarışmayı seyrederken kızın ne kadar bilgili olduğunu düşünmüş ve şimdiye kadar kazanılan en büyük ikramiyeyi kazanması, fakat kızın kazandığı ikramiye ile değil de akrabalarını araması ile ilgilenmişti. Geçen yıl emekli olduğundan beri TV'de bu tür programlar hep dikkatini çekmişti. Hatta her gün seyrettiği programa katılmayı bile sık sık düşünmüş ama utangaç bir yapıya sahip olduğu için çekimser kalmıştı.

Daha sonra kızın gösterdiği fotoğrafı görünce öyle bir çığlık atmıştı ki alt kattan komşusu bile duyup gelmişti! Sonra dili tutulmuş gibi bir süre konuşamamış, daha sonra da kısa bir baygınlık geçirmişti. Eşi programı seyretmediği ve fotoğrafı da görmediği için ne olduğunu anlayamamıştı.

Sonunda kendine gelip de olanları anlatınca eşi hem üzülmüş hem de çok sevinmişti. Çünkü Nazan'ın içinde ukde olan bu kız çocuğu, onların hayatında çok önemli bir rol oynamıştı. Her gün en az bir kez konuşulurdu. Tatile gittiklerinde de mutlaka onları düşünürler ve üzülürlerdi.   <u>111</u>

Hemen TV kanalını aramışlar ama telefonlar kilitlenmiş olduğu için ulaşamamışlardı. Ertesi gün kendileri çıkıp gitmişler fakat bu kez de içeri girememişlerdi. Daha sonra ise yine bu kez kayıpların bulunduğu bir kadın programında, Sevgi olduğuna emin olduğu kızı tekrar görmüş, bu kez hemen aramıştı. Programın bitiminde onunla konuşmuşlar ve ertesi gün davet etmişlerdi.

O gece hiç uyumamıştı. Anılar beyninde dans ediyordu. Sevgi'yi bir an Nalân'a benzetiyor sanki arkadaşı sisler içinden canlanmış gelmiş gibi hissediyordu.

Tatile giderlerken arabada dinledikleri daha sonra kasetini aldığı şarkıyı dinlemişti o gece sabaha kadar. Nalân ve Nazan arabada bağırarak bu şarkıya eşlik ederdi. Beyler de söylemek isterler ama sözlerini bilmedikleri için uydururlardı. Nalân çok gülerdi onlara. Özellikle o şarkının sözlerini ezberlemişti sevdiği için. Daha sonra Sevgi'nin de o şarkıyı annesinin söylediğini hayal meyal anımsadığını (çünkü çok küçüktü) ve yıllarca bu şarkıyı bulmak için binlerce parça dinlediğini duyunca çok şaşırmıştı. Minicik bir kızın yabancı dildeki bir şarkıyı anımsayabilmesi çok ilginç gelmişti.

Onları bu kadar yıl birbirlerinden ayırdıkları için babaanneye ne kadar da çok kızıyordu şimdi!..

* * *

Sevgi rüya görüyordu. Annesi saçlarını okşuyordu. Onun kokusunu duyuyor, yumuşacık parmaklarını yanaklarında hissediyordu. Daha önce de bu rüyayı defalarca görmüştü ve uyandığında çok üzülmüştü. Uyanmak istemiyordu ama gözlerini açtı. Annesinin yumuşacık parmaklarını ve kokusunu hâlâ hissediyordu.

Birden gerçek dünyaya döndü ama müthiş rüya devam ediyordu. Yabancı bir kadının kucağında yatıyordu. Doğruldu ve tekrar Nazan'a sarıldı. Hayatında böyle bir an olabileceğini asla düşünmemişti. Sanki annesi karşısındaydı ve onu sevgiyle kucaklıyordu. Sevgican ile göz göze geldi bir anda. Onu anladığını ve onayladığını belirten sıcacık bir gülümseme ile bakıp: "Evet lütfen daha sıkı sarıl! Ben biliyorum o da senin annen kadar yakın! Keşke sen de benimle annelerimiz gibi yakın bir arkadaş olsan." der gibiydi.

Sevgi onun bakışlarındaki bu arzuyu yakaladı ve hemen yerinden kalktı. İki kız, henüz çok kısa bir süre önce tanışmış olmalarına rağmen kırk yıllık arkadaşlar gibi içten ve samimi bir şekilde sarıldılar.

-Seninle arkadaş olmak istiyorum, hatta olduk bile!

-Biliyorum! Bunu hissediyorum.

Nazan onlara bakarken yüreğinden taşıp da gözlerinden akan yaşlara engel olamadı. Bunca yıl sonra Sevgi'yi görüp sarıldığında içinde bir rahatlama hissetmişti. Sanki yıllardır taşıdığı vicdan azabının bir kuş gibi uçup gittiğini duydu. Tüm sinirleri gevşemişti. Hayatın renkleri değişmişti. Siyah ve gri olan dünyası birden çok değişik ve parlak renklere bürünmüştü. O renk cümbüşü içinde yüzerken yine uzak bir anıyı anımsadı.

Tatile gidiyorlardı, yolda sevgili arkadaşı Nalân bağıra bağıra "Something's Gotten Hold of My Heart"ı söylüyordu. Uyurken düşlerini parlak bir renge boyadığını, koyu renkleri açık ve sımsıcak renklerle değiştirdiğini söylüyordu şarkıda. Nazan da ona bağırarak eşlik ediyor. Beyler ise kulaklarını tıkıyorlardı!..

Gerçek dünyada ise akşam oluyordu. Güneş batmak üzereydi. Sevgi o evden, Nazan'dan ve Sevgican'dan ayrılmak istemiyordu. Sanki yıllardır orada ve o insanlarla beraber yaşamıştı.

Nazan ayağa kalktı.

-Sizi yalnız bırakıyorum biraz mutfağa gidiyorum. Sevgi sen bu akşam burada kalıyorsun, hiç itiraz istemem.

Sevgican: 113

-Annem bankada müdürdü ya bizim evde de kendini müdür zannediyor!

Kızlar neşeyle kıkırdadı. Nazan bu konuşmayı ve gülüşmeleri duymuştu. "Hayat ne kadar güzel!" diye mırıldandı.

* * *

Sevgican, kendi arkadaşlarından çok farklı bir karakterde olduğunu hissettiği Sevgi'ye sorular soruyor onu daha fazla tanımak istiyordu. Aslında onun üç yaşına kadar olan her şeyini biliyordu ama ondan sonrasını merak ediyordu.

Sevgi'nin ise anımsayabildiği anıların çoğunluğu 6-7 yaşlarından sonraydı. Ama çok silik bir şekilde de olsa annesini anımsıyordu. Geçmişi hakkında, kendisinin bilmediği pek çok şey bilen bu insanlara karşı içindeki güneş sevgiyle açarak çevreye ışınlarını saçtı. Sevgi bu güneşin altında ışıl ışıl parlayan gözlerle ve etrafındaki görünmeyen enerjinin çekimiyle Sevgican'ın karşısında oturuyordu.

İki kız birden bu konuları unutup özel hayatları hakkında kendi yaşıtlarının bir araya gelince konuşacağı konuları konuşmaya başladılar. Arkadaşlarından, dershaneden, okuldan ve erkek arkadaşlarından...

Nazan onların neşeyle gülüştüklerini duyunca gülümsedi.

-Karnınız acıkmadı mı hâlâ?

-Elbette acıktık, hem de kurtlar gibi!

Bu arada Sevgican'ın babası Murat eve gelmişti. Sevgi ona elini uzattığında yüreğindeki taze yaranın kabuklarında burgacın hızlı bir tur attığını hissetti. Yarası yine kanamaya başlamıştı. Karşısında duran adam, bir zamanlar babası ile arkadaştı. Kim bilir onunla neler paylaşmıştı ve kendisinin de yaklaşık 3 yaşına kadar olan halini biliyordu.

Murat'ın birden gözleri doldu. Kollarını açtı ve Sevgi'ye sarıldı.

-Aman Tanrım! Kemal'in minik kuşu sen misin?

Hepsinin gözleri yaşarmıştı. Murat çok duygusal bir adamdı.

* * *

Birden gençliğini anımsadı. Kız arkadaşlarını bankadan almışlar, eski model ve zor yürüyen arabalarıyla gezmeye gidiyorlardı. Neşeyle gülüşüyorlardı. O zaman nişanlıydılar henüz. Nalân ve Nazan ilerde doğacak kızlarından bahsediyorlardı. Kemal ve Murat ise onların bu doğmamış çocuklarına isim koyma telaşlarına gülüyordu... Kimin kızı önce doğarsa onun adı Sevgican olacak diğeri de Sevgi...

Murat kollarında tuttuğu, hemen hemen kendi kızının boyunda ve kilosunda olan, ama dikkati çekecek kadar iri ve hüzünlü gözlere sahip kıza dikkatle baktı. Yıllar öncesinde yine böyle kucağına atılan sapsarı uzun saçlı küçücük bir kız canlandı hayalinde. Gözlerindeki sonbahar yaprakları ve hüznün ardında yine aynı yaşlardaki Nalân'ı ve Kemal'i görür gibi oldu bir an. Hayat çok acımasızdı. O mutlu günler çok gerilerde kalmıştı. Ne yazık ki sevgili arkadaşlarının kızlarını ne kadar aradılarsa da bulamamışlar ve yüreklerinde büyütmüşlerdi.

Hepsinin gözleri parlayan yaşlardan dolayı pırıl pırıl; hem hüzünlü hem de sevinçliydiler. Nazan havayı dağıtmak için sofraya oturmalarını önerdi.

Yemeklerini neşe içinde yediler. Sevgi babaannesinden öyle görmüştü. Çözülmesi gereken bir sorun ya da konuşulup tartışılacak bir konu varsa bu daima yemekten sonraya bırakılırdı. Bu evlerinde genel bir kuraldı.

Bu evde de aynı kuralın geçerli olduğunu gördü Sevgi, ya da o anda öyle yapılması uygun görülmüştü.

Yemekten sonra kızlar sofrayı birlikte topladılar ve mutfağa kahve yapmağa gittiler. Kahve tepsisi ile salona döndüklerinde Nazan ve Murat'ı ağlarken buldular daha doğrusu yakaladılar. Her ikisi de hemen toparlandılar ve gülümsemeye çalıştılar ama kızlar görmüştü.

Kahvelerini içerken Sevgi hep aklında olan soruyu sordu:

-Annemle babamın fotoğrafları var mı sizde?

Nazan yerinden kalktı ve birkaç fotoğraf albümü ile döndü. Sevgi yüreğindeki burgacın yarasının içinde bir kez daha döndüğünü ve hızla derinlere doğru indiğini hissetti.

Albümlere tek tek baktılar. Orada gerçekten de kendisine benzeyen bir genç kızla çok yakışıklı bir genç adam vardı. Kendisinde bulunan tek fotoğrafa nedense pek benzemiyorlardı. Nişanlıyken gidilen bir yemekte dört genç gülümseyerek objektife bakıyordu. Çok mutlu görünüyorlardı. İçlerinden birisinin doğum gününü kutluyorlardı.

Bir başkasında ise iki genç kız mutlulukla gülümsüyordu. Çalıştıkları bankada çekilmişti. Diğerinde yine iki genç kız bir piknikteydi. Nazan'ın yanındaki kız sanki annesi değil de Sevgi'ydi. Annesine bu kadar benzediğine inanamıyordu. Bu, onun için çok yeni bir duyguydu ve bundan çok hoşlanmıştı. Yalnız kaldığı zaman bunun üzerinde düşünecekti. Daha sonraki fotoğraflar ise annesi ile babasının nikâhlarında çekilmişti. Bembeyaz gelinliğinin içinde mutlulukla gülümseyen genç kız onun annesiydi. Babası da o gün pek yakışıklıydı.

Daha sonraki bir albümde ise kendi bebeklik fotoğrafları vardı. Genellikle iki bebek yan yanaydı. İlk kez kendi bebeklik fotoğrafını görüyordu. Daha sonra üç yaşına gelene kadar geçirdiği büyüme aşamalarını da o albümde gördü. Sevgi'nin içindeki burgaç döne döne yüreğini öylesine sıkmıştı ki, ıstırabı gözlerinden yaş olarak akmaya başlamıştı.

Yalnız kalmak ve düşünmek istiyordu. Bu nazik insanları kırmadan Nazan'dan kendi kalacağı odayı sordu. Bir de isteği vardı eğer kabul ederlerse... O albümleri de odasına götürmek istiyordu. Yatmadan önce bir kez daha anne ve babasının fotoğraflarına bakacaktı. Ona hazırlanan odanın güzelliğini bile göremeden yatağın üzerindeki geceliği giydi ve kendisini yatağa attı. Elindeki albümlerden birini açtı ve fotoğraflara baktı...

* * *

Deniz ve kumsal göz alabildiğine uzanıyordu. Küçük kovası ve küreği elinde, koşarak arkadaşının yanına gitti. Beraber kumdan kale yapacaklardı. Biraz daha geride ağaçların altında kalan bir yerde kızların anneleri ve babaları oturuyordu. Sevgi annesinin koşarak yanına geldiğini gördü. Getirdiği şapkaları kızların başına geçirdi. "Benim minik kuşlarımın, başına güneş geçmesin!" dedi.

Kumdan kale yapmaktan sıkılınca denize doğru yürüdüler ve arkadan anneleri yetişip ellerinden tuttu, serin sulara kendilerini bıraktılar. Ne kadar mutluydu ve kendisini ne kadar da güvende hissediyordu. Sudan çıkarken babası onların fotoğrafını çekti o günün anısını saklamak için.

* * *

Yemyeşil kırlarda koşuyordu. Arkadaşı ile top oynuyorlardı. Onların paytak paytak koşmalarına anne-babaları kahkahalarla gülüyorlardı. Sonunda onları yemek yemeleri için yanlarına çağırdılar. Babası fotoğraf makinesini çıkarmıştı ama bu karede hepsinin görünmesini istiyordu. Yakınlarında piknik yapanlardan birine rica etti. Babalar kızlarını kucaklarına aldılar. Anneler ise mutlulukla objektife gülümsediler. Minicik Sevgi o gün çok mutlu olduğunu ve hayatın hep böyle geçeceğini zannederek mutluluk içinde kahkahalar atıyordu...

10. BÖLÜM

Güneşin ışınları perdelerin arasından bir boşluk bularak uzanıyor ve müşfik bir el gibi Sevgi'nin yüzünü okşuyordu. Yüzünde çocuksu bir gülümseme ve kucağında sımsıkı sarıldığı albümlerle birlikte uyuyordu. Sevgican yavaşça gidip perdenin açık kalan kısmını kapattı. Yüzünden güneşin yumuşak eli birden çekiliverince Sevgi gözlerini açtı. Bir an nerede olduğunu anımsayamadı. Karşısındaki genç kızı görünce her şeyi anladı. Utanarak albümleri komodinin üzerine bıraktı.

-Rüyamda ikimizi gördüm, öyle küçüktük ki!

-Akşam eski fotoğraflara baktık ve konuştuk tabii ki görmen normal. Ben de bazen seni rüyamda görürdüm.

Sevgi heyecanla sordu:

-Nasıl görüyordun peki? Hangi yaşlarda?

Sevgi o güne kadar varlığından haberi bile olmadığı bu güzel kızın onu sık sık düşündüğünü ve bazen de rüyasında gördüğünü söylediğinde çok duygulandı.

-Ben senin varlığını hiç bilmiyordum affedersin; o zamanlar ikimiz de çok küçüktük. Daha sonraları bana seninle ilgili hiçbir şey anlatılmadı. Ama sen şanslıydın çünkü senin annen ve baban her zaman bu konuda konuşmuşlar.

-Bu senin suçun değil ki? Ortada suç da yok ayrıca. Sadece hayat denilen rüzgâr seni önüne katmış ve sürüklemiş. Ama neyse ki şu anda beraberiz. Yine de çok geç sayılmaz. Kaybettiğimiz yılları telafi edebiliriz. Ne dersin?

-Bunu ben de çok isterim. Sana sormak istediğim o kadar çok soru var ki. Ama benim gitmek zorunda olduğum bir okulum ve bir işim var.

-Bak ne yapalım. Birazdan çıkalım; biz akşam annemlerle de bu konuyu konuştuk. Önce senin işyerine gidip senin için uzun bir süre daha izin isteyelim. Sonra da evine gidip giysilerini alalım. Burada bizimle bir süre kalmalısın. Hem annem için hem de senin için bu çok önemli olsa gerek.

-Size yük olmak istemem ama ben.

-Olur mu hiç, hadi şimdi gidip kahvaltı edelim. Annem çok güzel bir kahvaltı hazırladı.

Sevgi yüzünü yıkayıp giyindikten sonra salona gitti. Mis gibi kokular arasında çok nefis bir kahvaltı sofrası onları bekliyordu. Nazan sevgiyle gülümsedi. Nasıl uyuduğunu sordu.

-Çok güzel uyudum. Rüyamda, sanırım üç yaşlarındaydık, annem, babam ve sizlerle deniz kenarındaydık daha sonra da piknik yaptık.

dedi ve devam etti:

"Albümde o fotoğraflara bakmıştım yatmadan önce, rüyamda aynen o günleri yaşadım. Bundan çok memnunum. Çünkü annemi o kadar çok özlemiştim ki, sayenizde bu özlemi biraz olsun gidermiş oldum."

"Ben de onu çok özlüyorum, seni görünce ben de biraz olsun özlemimi giderdim. Ona öyle benziyorsun ki. Hele şöyle saçlarını düzeltişin... Sanki karşımda Nalân'ı görmüş gibi oluyorum. Lütfen bizimle bir süre kal. Bu hepimize iyi gelecek..."

"Evet öyle olacak. Aslında ben bu yola akrabalarımı bulmak için girmiştim. Ama şu anda hiç kimseyi görmek istemiyorum. Sanki benim gerçek akrabalarım sizlermişsiniz gibi hissediyorum. Özellikle de annemin bu kadar samimi arkadaşı olduğunuz için sizde annemin kokusunu buldum. Daha önce de arkadaşlarımın anneleri beni kucaklardı ve severdi ama hiçbirisinde bu kokuyu duymadım."

Bir an Nilgün'e ve onun annesine haksızlık ediyormuş gibi geldi. Sami beyamca ve Nermin teyze onu çok severlerdi ve asla kendi kızlarından ayırmazlardı. Ama Nazan'ın onu kucaklaması çok başkaydı, sözcüklerle anlatamazdı.

Nilgün'ü düşündü. Onunla ne kadar çok şey paylaşmışlardı. Oysa hayatlarındaki o kırılma noktası olmasaydı, büyük bir olasılıkla Nilgün'ü hiç tanımayacaktı. Böylece şimdi karşısında oturan şu güzel kızla arkadaş olacak ve onunla çok şey paylaşmış olacaktı.

Belki de bundan sonra arayı kapatabilir ve arkadaş olabilirlerdi. Olmalıydılar. Bunu çok istiyordu.

Kızlar konuşurken Nazan çoktan kalkmış hazırlanmıştı.

-Ben arabaya iniyorum siz de hazırlanıp gelin.

Biraz sonra hep birlikte Sevgi'nin çalıştığı şirkete doğru yola çıkmışlardı. Yolda Sevgi telefonla bildirdiği için Sami onları şirketin kapısında karşıladı ve doğru odasına götürdü.

Sevgi için izin talep ettiklerini duyunca gülümsedi.

-Zaten daha önce ben ona istediği kadar izin vermiştim.

Sevgi'nin bir anda kafasında şimşek çaktı. İşte bunu tamamen unutmuştu. O artık çok zengin bir kızdı. Yarışmada kazandığı $900.000 + 100.000 = 1.000.000.-$ YTL bir bankada onun adına açılan hesaba yatırılmıştı. Bankadan arayıp, imza için uğramasını istemişlerdi ama o bunu tamamen unutmuştu. Bu para onun gibi yaşayan bir kız için çok yüksek bir miktardı.

Bir ara bu konuda düşünmesi gerekiyordu. Alınması gereken kararlar vardı. Belki de yardım alması gerekecekti. Tam bunları düşünürken telefonu çaldı. Arayan Serdar'dı. Onu tamamen u-nutmuştu! Sevgi bir hayal dünyasında yaşıyordu o anda ama bir an önce gerçek dünyaya ayak basması gerekiyordu.

Serdar'la akşam üzeri buluşmak üzere sözleştiler. Aslında Sevgi kendi evine kapanıp adamakıllı düşünmek istiyordu. Yapayalnız kalmak, annesinin sevdiği şarkıyı dinlemek, albümlerdeki fotoğrafların hepsini almak, yere sermek ve onlarla annesi ve babasının özlemini biraz olsun gidermek en büyük arzusuydu.

Yine başı dönmeye başlamıştı. Serdar'la konuşması ve belki de profesyonel yardım alması gerekiyordu. Şu son günlerde peş peşe yaşadığı olaylar onu çok yıpratmıştı. O çok hassas bir genç kızdı. Yaşadıklarının sadece duygusal yönüyle ilgileniyordu. Oysa 1 milyon lirası vardı hesabında ve bu onun için çok büyük bir paraydı.

Birden kendine geldi. Şirketteydiler ve onun için izin alıyorlardı. Patronu istediği kadar izin yapabileceğini söylüyordu. Biraz daha oturup çaylarını içtiler ve oradan ayrıldılar. Hep birlikte evine geldiklerinde yine içinde garip duygular uyandı. Bu eve babaannesi öldüğünden beri pek kimse gelmiyordu. Nilgün'ün haricinde birkaç arkadaşı gelmişti sadece...

Aslında evini çok seviyordu. Modası geçmiş eşyalarının temiz ama biraz dağınık olması, onlara karşı tedirgin etmişti. Dün gece kaldığı saray gibi evden sonra kendi evi ona küçük bir kulübe gibi görünmüştü.

-Lütfen ayakta durmayın oturun.

Nazan'ın kütüphaneye ve kitaplara baktığını gördü. Aynı anda göz göze geldiler.

-Nalân'ın kitapları değil mi bunlar?

-Evet sanırım babaannem benimle birlikte evden sadece bu kütüphaneyi ve kitapları almış. Sevgi gözlerinde parlayan yaşlara rağmen gülümseyerek:

-Bu eve ilk kez gelen mutlaka "Bu kitapların hepsini okudun mu?" diye sorar, ilk kez siz farklı bir soru sordunuz onlarla ilgili...

Nazan, gözlerinden sicim gibi akan yaşlara engel olamayıp anılarına gömüldü. Yıllar önce ilk kez Nalân'ın evine gittiğinde kütüphanede bu kadar çok kitabı görüp: "Bunların hepsini okudun mu sen?" diye sorunca Nalân gülmekten kendini alamamıştı."Bizim eve ilk kez gelen herkesin standart sorusunu sen de sormuş bulunuyorsun şu anda!" demişti ve ne kadar da çok gülmüşlerdi.

-Ben bu soruyu yıllar önce annene sormuştum da ondan!

Bu anı Nazan'ı derinden sarsmıştı.

Kollarına atılan Sevgi'ye sarıldı. Sevgican annesine sarılan kıza sanki kardeşiymiş gibi bir duyguyla baktı. Oysa tek çocuktu ve kardeşi yoktu. Ama o kadar istediği kardeşi şimdi olmuştu işte. Nazan da aynı anda aynı şeyi düşünüyordu. Artık iki kızı vardı. Sonunda arkadaşının vasiyetini yerine getirebilecekti.

Sevgi yanına birkaç giyim eşyasını aldıktan sonra çıktılar. Sevgi evde yapayalnız kalıp düşünmek ile onlarla gitmek arasında biraz tereddüt etti. Ama Nazan ve Sevgican'ın kolundan tutup çekiştirmesiyle kapıdan çıkıp yürümek zorunda kaldı.

* * *

Hayat böyledir işte! Bazen tekdüze giden hayatımız tek bir olayla değişiverir. Ardı ardına gelen, birbirleriyle bağlantısı yokmuş gibi görünen olaylar zinciri karşısında dilimiz tutulur, artık kontrol bizim elimizde değildir. Rüzgârla savrulan yaprak gibi kendimizi bırakırız. Yaprağın nereye sürükleneceği belli değildir, ama o kendini rüzgârın ellerine bırakır ve gidebildiği yere kadar gider.

Nazan, Sevgi'nin evinde yıllar önce kaybettiği sevgili arkadaşını ne kadar çok özlediğini anlamıştı. Sevgi'nin kütüphanenin önünde durup da: "Her gelen önce 'Bu kitapların hepsini okudun mu?' diye sorar, oysa siz farklı bir soru sordunuz ilk kez!" derken yıllar öncesine gitmişti. Sevgi'nin bu sözcükleri söylerken ne kadar da Nalân'a benzediğini düşündü. Ona her baktıkça sevgili arkadaşını anımsıyordu. Yüreğinin bir köşesinde artık kapandığını sandığı bir yaranın sızladığını hissediyordu.

Eve dönerlerken Nazan birden fikir değiştirip kızlara bir sürprizi olduğunu söyledi. Güzel bir yemek hepsine iyi gelecekti.

Biraz sonra boğaz köprüsünü tepeden gören bir restoranda oturuyorlardı. Sevgi şimdi kendisini iyi hissediyordu. Hayat güzeldi ve yaşamaya değerdi. Öyleyse yaşayacaktı. Zaten başka bir seçeneği de yoktu!

Boğaz manzaralı restoranda nefis bir balık yedikten sonra eve döndüler. Çaylarını evde içeceklerdi. Nazan, Sevgi'nin odasını hazırladı, getirdikleri giysileri dolaba kendi elleriyle yerleştirdi. Tıpkı kızının dolabını yerleştirdiği gibi…

123

Sevgi bir an "Acaba doğru mu yapıyorum?" diye düşündü ama sonra bunu aklından çıkardı. Kendisini bırakmıştı, bakalım bundan sonra gelen günler ne getirecekti? Ayakta öylece durup belirsiz bir süre kalacağı odaya baktı…

* * *

Sevgi'nin bankada onu bekleyen 1 milyon lira ile ilgili olarak bir karar vermesi gerekiyordu. O para, çok rahatsız ediyordu, birilerine danışmalı ve yerini bulmalıydı.

Telefonu çalınca birden anımsadı, akşam Serdar ile buluşacaktı ve bunu tamamen unutmuştu. Yarım saat sonra onu alacaktı ve Sevgi henüz hazır değildi. Hemen kalktı, giyindi ve buluşacakları yere yetişebilmesi için bir taksi çağırmak istedi. Nazan onu bırakabileceğini söyledi. Sevgican da gelecekti, böylece a- rabada konuşurlar ve canları sıkılmazdı. Tam yola çıktıkları sırada Alper aradı. Biraz önce de Nilgün'le görüştüğünü yarın onları alacağını söyledi. Eski arkadaşlar bir araya gelip konuşacaklardı.

Trafik korkunçtu. Sevgi telefon açarak geç geleceğini söyledi. Fakat, tahmin ettiklerinden daha geç kaldılar. Akşam trafiğini tamamen unutmuş oldukları için kendilerine kızdılar. Sonunda Serdar'ın arabasını gördüklerinde derin bir nefes aldılar. Nazan o yakınlarda bir arkadaşı olduğunu ona gideceklerini ve Sevgi'yi dönüşte alabileceğini söyledi. Serdar kendisinin bırakacağını söyledi. Telefonlaşacaklarını söyleyerek ayrıldılar.

Sevgi, Serdar'ın çekimine kapılmıştı yine. Arabanın içinde birbirlerine çok yakın oturuyorlardı. Büyük bir olasılıkla onları beklerken sıktığı parfümünün kokusunu içine çekti. Pahalı bir koku olmalıydı.

Biraz önce arayan Alper'i düşündü. Yarın görüşeceklerdi, a- caba Serdar'a söylemeli miydi? Onu da çağırmalı mıydı? Yoksa sadece üç çocukluk arkadaşı mı olmalıydılar? Belki de böylesi daha iyiydi. Daha sonra yine birlikte olurlardı.

Gittikleri restoranda Sevgi hiç açlık hissetmediği için sadece bir salata istedi. Serdar şarap içmelerini önerdi. Evet içebilirlerdi. Çok güzel bir geceydi. Şarap, hafif müzik ve Serdar, Sevgi'yi sarhoş etmişti. Bir ara Sevgican aradı ve eve döneceklerini, onu da alabileceklerini söyledi. Serdar, isteğini yineledi kendisi bırakacaktı.

Saatlerin nasıl geçtiğini anlayamayan Sevgi sonunda kalkmaları gerektiğini bildirdi. Serdar istemeyerek de olsa onu Nazan'ın evine getirdi. Yolda çok az konuştular, aslında çok rahatsızdı. Çünkü Sevgi bir yerde onun hastası konumundaydı. Bu konuyu ünlü bir psikiyatr olan babası ile konuşacaktı. Ertesi gün ne yapacağını sorduğunda Sevgi'nin Alper ve Nilgün ile buluşacağını ve onun davet edilmediğini öğrenince yüreğinde bir sızı hissetti. Hakkı yoktu buna ama Alper'i, Sevgi'nin yakınlarında pek görmek istemiyordu. Bunu dile getirmedi fakat çok da rahatsız oldu.

Nazan kapıyı açtı, Serdar, nezaket icabı içeri davet edilmesine rağmen kabul etmedi ve Sevgi'yi bırakıp gitti. Aslında yüreğini de bırakmıştı giderken. Şimdiye kadar tanıdığı kızların hiçbirine benzemeyen, güzel, saf ve kırılgan Sevgi'ye âşık mı olmuştu ne?

11. BÖLÜM

Ertesi gün kalktığında ev seslerle ve kokularla doluydu. Sevgi bir an için annesinin kalkıp kahvaltıyı hazırladığı ve kız kardeşi ile birlikte onu bekledikleri gibi bir hisse kapıldı. Evde o kadar samimi ve sıcak bir hava esiyordu ki, bu rüzgâra kapılmamak elde değildi. Kahvaltıdan sonra Sevgi, Nilgün ve Alper ile buluşmak üzere evden çıktı.

Nilgün ile Alper birlikte gelip sözleştikleri yerden Sevgi'yi aldılar. Yine üçü bir aradaydı. Sevgi onlarla mutlu olduğunu hissetti. Her ne kadar Alper onu küçükken "Kimsesiz Kız" ya da "Saçaklı Kız" Nilgün'ü de "Avukat" diye kızdırdıysa da bu artık çok geride kalmıştı. Üstelik o zamanlar küçücük birer çocuktular.

Nereye gidecekleri konusunda yaşanan bir karmaşadan sonra sonunda yine Şile'ye gidip deniz kenarında sessiz bir yerde oturup konuşmaya karar verdiler. Yolda gırgır-şamata yaptıkları için nasıl geçtiğini anlamadılar bile. Kendilerini nefis deniz manzaralı bir restoranda bulduklarında ciddileşmişlerdi.

Alper iki kızın karşısına oturmuştu. Aslında dün gece hiç uyumamıştı. Altıncı hissi, uzun yıllar önce aynı okula ve aynı sınıfa devam ettikleri iki kızın şimdi hayatında önemli bir rol oynayacaklarını söylüyordu. Bu konuda yanılmadığını kısa bir süre sonra anlayacaktı...

Nilgün ve Sevgi ona bakıp gülüyorlardı. Biraz önce düşüncelere daldığında onların söylediklerini kaçırmıştı anlaşılan, kızlar gülüyorlardı. Hep o mu dalga geçecekti şimdi sıra onlara gelmişti işte.

-Dün gece hemen hemen hiç uyumadım, hep düşündüm.

diye söze başladı Alper.

-Aslında her ikinize de özür borcum var.

-Hayır, Hayır! Hepimiz çocuktuk o zaman, çocuklar acımasızdır.

-Ne olur sözümü kesmeden dinleyin beni. Gece düşündüm beni affetmeniz için ne yapabilirim lütfen söyleyin.

-Bir şey yapman gerekmiyor. Sen TV'ye kadar gelip bizimle görüştün ya yeter.

-Beni kırmayıp geldin ya. Bu bizim için yeterli.

diyerek Sevgi de Nilgün'le aynı fikirde olduğunu belirtti.

Alper özellikle Sevgi'ye karşı çok mahcuptu. Onun kimsesi olmadığını duyduğu andan itibaren ona karşı takındığı tavırdan şimdi çok rahatsızdı. Ama yapılacak bir şey yoktu. O zaman çok küçüktü ve kızlarla dalga geçmekten çok hoşlanıyordu. Sevgi ise o zamanlar çok iyi bir malzemeydi doğrusu!

Nilgün ise devamlı arkadaşını koruduğu için ona da "Sen onun avukatı mısın?" derdi. Daha sonra bunu kısaltıp sadece ''Avukat'' yapmıştı. Kaderin cilvesine bakın ki Nilgün birkaç yıl içinde hukuk fakültesinden mezun olup "Avukat" olarak hayata atılacaktı.

Bunu duyduğunda Alper gerçekten şaşırdı ve bir kahkaha attı.

-Gördün mü bak ben seni yönlendirmeseydim belki de avukat olmayı düşünmeyecektin.

Bu kez o kadar yüksek sesle güldüler ki etraftaki masalardan başlar onlara çevrildi.

-Peki sen ne iş yapıyorsun hiç de bunu sormayı akıl etmedik sana?

-Babamın şirketinde çalışıyorum. Bu yıl okulumu bitiriyorum.

Alper karşısında oturan iki güzel ve çekici kızdan gözlerini alamıyordu. Aslında bir kız arkadaşı vardı ama onunla inişli çıkışlı bir ilişki yaşıyorlardı. Şu son günlerde ise biraz ara vermeye karar vermişlerdi ve görüşmüyorlardı. Ama Alper emindi ki şu saatten sonra onunla bir daha hiç görüşmeyecekti. Sevgi'ye karşı bir ilgi duymuştu. Ama Nilgün'ün de ona karşı olan ilgisinden huzursuz olmuştu. Ne yazık ki Sevgi'nin gözlerinin içine baktığında orada kendisini göremiyordu. Sevgi için sadece eski ilkokul arkadaşından öteye gidemeyeceğini altıncı hissi ona çoktan söylediği halde mücadele etmeye karar vermişti.

Dün gece uykusuz geçirdiği saatlerde, onlarla duygularını paylaşmayı kararlaştırmıştı. Şimdi hislerini her ikisine de açması gerektiğini düşünüyordu ki Nilgün sordu:

-Kız arkadaşın var mı Alper?

-Var..dı!..

-Şimdi yok mu?

-Vardı ama bir süre ara vermeye karar verdik. Hislerimizi tartacak ve daha sonra tekrar deneyeceğiz.

-Bizi görmesin o zaman senin yanında, belki kıskanır. Ama biz sadece çocukluk arkadaşıyız.

diyen Nilgün böylece ondan bir mesaj alabilir miyim diye bekledi.

Ben de merak ediyorum sizin erkek arkadaşlarınız var mı diye? Sorabilir miyim acaba?

-Benim yok!

diye atıldı Nilgün.

-Benim var sayılır!

Bunu söyleyen Sevgi'ydi. Alper bunu tahmin ettiği halde yine de üzülmüştü. Ama şimdiye kadar hayatında istediği her şeyi elde etmişti. Sevgi'yi de istiyordu ve ne olursa olsun onu elde edecekti. Bu "Saçaklı ve Kimsesiz Kız" onun olacaktı. Bir gece önce kendisine, çocukken de hoşlandığı için onu devamlı kızdırdığını ve onun üzülmesinden sadistçe bir zevk aldığını itiraf etmişti. Ama geçen gün yine Şile'de deniz kenarında dolaşırlarken Sevgi'nin Serdar'dan hoşlandığını gözleriyle görmüştü ve çok üzülmüştü. Alper amacına ulaşmak için her yolun geçerli olduğunu düşünen bir Makyavelistti! Sevgi'yi elde etmek için elinden geleni yapacaktı. Bu yolda Nilgün'den de yararlanabilirdi. Onun ilgisini daha ilk günden fark etmişti...

Üç çocukluk arkadaşı yemeklerini yerken havadan sudan konuşmaya devam ettiler. Bir ara Alper, Sevgi'ye kazandığı ikramiyeyi ne yaptığını daha doğrusu ne yapacağını sordu.

-Aslında bu konuda düşünmek istiyorum. Para bankadaki hesabıma yatırıldı. Güvendiğim insanlara danışıp öyle karar vereceğim.

-Bu konuda sana yardımcı olabilirim. Babam yatırımlar konusunda ustadır ve hiç kaybettiğini görmedim.

-Teşekkürler ama önce patronuma danışacağım. Belki daha sonra seninle bu konuyu konuşabiliriz.

-Tamam öyleyse! Anlaştık! O halde sen en kısa zamanda konuş ve daha sonra da biz bu konu hakkında seninle görüşelim.

Aslında Alper'in para ile ilgilendiği yoktu. Esas amacı Sevgi ile yalnız görüşebilmekti. Çünkü Serdar ve Nilgün olmadan bir daha bir araya gelebileceklerini sanmıyordu. Ama böyle bir sebep ile onu istediği zaman arayıp baş başa bir görüşme ayarlayabilirdi.

Yemeklerinin bundan sonraki yaklaşık bir saati çok güzel geçti. Eski çocukluk anılarını birbirlerine anımsatıp güldüler. Üçü de gerçekten çok mutlu görünüyorlardı.

Dönüş yolunda Alper para ile ilgili görüşmek için onu arayacağını özellikle belirtti. Ayrılırlarken Nilgün'ü ve Sevgi'yi aynı arkadaşlık ölçüsü ile öptü. Nilgün o yemekte Alper ile bir gelecekleri olamayacağını anlamıştı. O, Sevgi'den hoşlanıyordu çünkü...

Nilgün, Sevgi'nin belirsiz bir süre için Nazanlar'da kalacağını duyduğu günden beri onu kaybetmiş gibi bir hisle doluydu. Bir de buna şimdi Alper eklenmişti. Aslında Alper hayatına girmemişti zaten ama ondan hoşlanmıştı. Belki bir ilişki yaşayabilirlerdi. Oysa o Sevgi'yi seçmişti. Emindi ki, Sevgi bu durumdan haberdardı ama bu konuda hiç konuşmamışlardı.

Nilgün o geceyi çok rahatsız geçirdi. Kendisini hiç iyi hissetmiyordu. Hasta gibiydi. Üzgün ifadesi babasının dikkatini çekmişti ama ailesine hiçbir şey söylemedi. Sevgi onun en iyi arkadaşıydı. Sevgican'ı öyle çok kıskanıyordu ki... O akşam yemek bile yemedi. Annesi öğlen yemeğini arkadaşları ile yediğini biliyordu. Bu yüzden ısrar etmedi ve Nilgün odasına kapandı.

* * *

Sevgi, Nazan ve Sevgican tarafından büyük bir ilgi ve merakla karşılandı. Çocukluk arkadaşları ile konuştuklarını onlara anlattı. Bir rüyada gibiydi ve uyanmaktan korkuyordu. Her gün başka olaylara gebeydi ve yapacak pek çok işi vardı.

Tekdüze giden hayatı bir yarışma programı ile bir daha asla eski haline dönemeyecek şekilde birdenbire değişmişti. Ona göre büyük bir ikramiye kazanmış ve geçmişi ile ilgili pek çok bilgiye kavuşmuştu. Yakında ailesi ile ilgili başka şeyler de öğrenecekti. Bunu çok istiyordu ama biraz da korkuyordu. Hayatındaki bu kadar çok değişikliğin sadece iki hafta önce başladığına ise inanamıyordu. Yarışmaya katıldığı günden beri sanki yıllar geçmişti. Kendisini yaşlanmış hissediyordu...

* * *

Annesi ve babası ile yürüyen küçük kız birden karşısına çıkan baloncuyu görünce işaret etti. Babası ona bir uçan balon aldı ve eline tutuşturdu. Küçük kız öylesine mutluydu ki. Ama biraz sonra balonun avuçlarının arasından kayıp gittiğini görünce ağlamaya başladı. Annesi ve babası da balonun peşinden önce koşarak sonra da uçarak gözden yitip gittiler. Küçük kız artık hıçkıra hıçkıra ağlıyordu...

* * *

Nazan, Sevgi'nin sesini duymuş ve koşarak gelmişti. Onu sevgiyle kucaklamış ve saçlarını okşuyordu. Sevgi ona sıkı sıkı sarıldı. Biraz önce uyuklarken gördüğü rüyada, ellerinden kaçırdığı balonu ve balonun peşinden yitip giden annesi ve babası için ağlıyordu.

Hayatında ilk kez birisi saçlarını okşarken sanki annesinin anısına haksızlık yapmış gibi hissetti. Daha önce babaannesi, okuldaki öğretmenleri ve komşular da ona sarılıp saçlarını okşamışlardı. Ama Nazan onu tıpkı annesi gibi kucaklıyor ve seviyordu.

131

O an hiç bitmesin istedi. Eğer zamanı dondurmak mümkün olsaydı, o anda kalmak isterdi. Nazan'a rüyasını anlattı. Sevgi onun gözlerinde özlem yaşlarını görünce daha çok ağlamaya başladı. Çünkü aynı insanları özlüyorlardı...

* * *

Kahvaltıya oturduklarında hüzünlü dakikalar yerini neşeye bırakmıştı. Murat onları öyle üzgün görünce espriler yaparak havayı dağıtmak istemişti. Sevgican, kendisi ile aynı yaşta olan fakat farklı bir çocukluk geçiren ve çok acı çeken bu kıza baktıkça kendi hayatını sorgulamaya başlamıştı. Hayatının her döneminde mükemmel bir ailesi, evi, okulu ve arkadaşları olmuştu. Hiç sıkıntı çekmemişti. Maddi sıkıntı nedir zaten hiç bilmiyordu ve manevi yönden ise sahip olduğu anne ve babası yüzünden çok şanslıydı.

Oysa Sevgi sadece üç yıl yaşayabilmişti benzer hayatı. Bir trafik kazası, hayatını tamamen değiştirmişti. Sonrası kocaman bir boşluk ve yalnızlık... Sevgican hayatında hiçbir yakınının ölümüne şahit olmamıştı. Çok küçükken annesinin ve babasının arkadaşlarının öldüğünü kızlarının ise ortada kaldığını biliyordu. Ama pek bir şey anımsamıyordu o günlerden.

Sevgi'nin ruhuna kayıtlı acıları taşıyan güzel ve hüzünlü gözlerine baktı. Bazı konularda ona gülmeyen şans, bir bakanın tekrar dönüp bakacağı cazibeli ve güzel bir genç kız olarak ona başka yönden fazlasıyla verilmişti sanki. Güzel olmanın dışında zeki bir kızdı. Yaşadığı hayat yüzünden olsa gerek yaşından çok daha olgundu. Sanki hiç çocuk olmamıştı. üç yaşında ona birdenbire büyüdüğünü söylemişler ve o yaştan itibaren genç bir kız olmuştu.

Gözleri, yüreğini yansıtan bir aynaydı. Dikkatle bakanlar orada o kadar çok acı görüyorlardı ki nasıl taşıyabildiğine şaşırıyorlardı. Sevgican onun gözlerinde, yüreğinin bir köşesindeki burgacın zaman zaman sıkıştırdığı yarasını görebiliyordu. Bu yara bazen kabuk bağlıyor ama genellikle kanıyordu. Tamamen iyileşmesi ise şimdilik imkânsız gibi görünüyordu.

Ondan çok şey öğreneceğini ve onunla birlikte olgunlaşacağını hissediyordu. Annesi onu bırakmamalıydı. Hep birlikte olmalarını istiyordu. Şu anda kahvaltı sofrasında iki kız çocuğu olan mutlu bir aile portresi çizilmişti.

Murat o gün arkadaşları ile buluşacaktı. Günlerden pazardı. Nazan kızların bir programı yoksa günü onunla birlikte geçirmek isteyip istemediklerini sordu. Kızlar böyle bir soruya nasıl hayır diyebilirlerdi ki?

* * *

Aynı gün kısa aralarla Serdar ve Alper, Sevgi'yi aramıştı. Her ikisi de o gün görüşmek istiyorlardı. Sevgi her ikisine de aynı yanıtı verdi.

-Bugün önemli bir işim var, daha sonra görüşürüz!

O gün Sevgi'nin hayatında unutamayacağı günlerden biri oldu. Nazan onları Sevgi'nin evinin yakınlarında bulunan bir çocuk yurduna götürdü. 7-12 yaş grubu 100 kadar çocuğun bulunduğu bu yetiştirme yurdunda geçirdiği saatleri Sevgi asla unutamayacaktı.

Yakınlarında böyle yurt olduğunu biliyordu ama babaannesi onu, yakınından bile geçirmemişti. Hiç konuşulmamıştı. Şimdi anlıyordu nedenini. Orada Sevgi gibi annesini ya da babasını veya her ikisini de kaybetmiş çocuklar çoğunluktaydı. Fakat annesi babası boşanmış olanlar ve her iki taraftan da istenmeyip bırakılanlar da vardı.

133

Nazan bir markete uğrayıp çocukların sevdiği türden süslü paketlerde pek çok yiyecek almıştı. Yurt çocukları, dağıtılan çikolata ve gofretleri aldılar ama Sevgi onların gözlerinde çok daha farklı şeyler almak istediklerini okudu. Bu çocuklar sevilmek, öpülmek, kucaklanmak istiyorlardı. Bir anne sevgisi ile saçlarının okşanmasını istiyorlardı. Üçü de gözyaşlarını tutamadılar karşılaştıkları sahne karşısında.

Sevgi yarışma programında kazandığı parayı akrabalarını bulmak ve onlarla birlikte harcamak için kullanmaya karar vermişti. Pek çok kişi aramıştı akrabası olduğunu iddia eden ama yapılan araştırmalar sonucunda hiçbirinin gerçek akrabası olmadığı ortaya çıkmıştı. Nazan annesinin göçmen olduğunu söylemişti. Büyük bir ihtimalle akrabaları yurtdışındaydılar. Onları bilenler, yaşlı oldukları için ölmüştü ve gençler ise hikayeyi bilmedikleri için onun aramalarına doğal olarak yanıt vermemişlerdi.

Çocukların içten gelen bir coşku ile onlara sarılışını görünce Sevgi kararını vermişti. Parasını bu çocuklar için kullanacaktı.

En azından aralarından birkaç çocuğu okutabilirdi. O gün öğlen yemeklerini yurdun yemekhanesinde çocuklarla birlikte yediler. Müdür onların yardım edeceklerini hissettiğinden çok kibar davranıyordu. Daha sonra odasında onlara kahve ikram etti ve konuyu açtı.

-Bu çocukların bazıları çok zeki ve daha iyi okullarda okuyabilirlerse topluma faydalı bireyler olabilirler.

-Biz de bu konu hakkında bilgi almak istiyorduk zaten.

Müdür, Sevgi'yi tanımamıştı. Herhalde TV ile arası pek iyi değildi! İyi ki değildi, çünkü üçü de katıldıkları kadın programından sonra büyük bir kitle tarafından tanınmıştı ve sokakta rahat dolaşamaz olmuşlardı. Nereye gitseler mutlaka tanıyan birileri çıkıyordu. Bu yüzden arkadaşları ile rahat bir yemek için çok uzaklara gidiyorlardı.

Müdire hanım ne yapmaları gerektiği hakkında bilgi verdikten sonra kalktılar. Çok yakınında olduğundan Sevgi'nin evine uğradılar. Aslında Sevgi evinde yalnız kalmak istiyordu ama bunun şimdilik mümkün olmayacağını da görüyordu. Bu kez evinde onlara çay yaptı ve yakındaki fırından poğaça ve simit aldı. Kendi evinde annesinin arkadaşı ve kızı ile çay içip sohbet etmek çok iyi gelmişti. Özellikle de yurttaki çocukların kocaman ve sevgiye aç gözleri ile onlara bakışlarından sonra...

Nazan, Nalân'ın kitaplarına gözlerinde saklayamadığı yaşlarla bakıp eski günlerini ve sevgili arkadaşını anımsadı. Birkaç saat önce, yurt çocuklarının saçlarını okşarken tuttuğu gözyaşları artık sel olup akıyordu. Bir daha asla onun gibi bir arkadaşa sahip olmamıştı. Çünkü arkadaşlıklar sadece menfaat üzerine kuruluyordu. Menfaat bağı bittiği an arkadaşlık bağı da kopuyordu. Ama Nalân öyle değildi. Çok fedakâr bir kızdı. Gördüğü kadarı ile Sevgi de pek çok açıdan benziyordu ona. Ne de olsa onun kızıydı! İşte şimdi çayını tazelemek için fincanını alırken yaptığı hareket ne kadar da annesini anımsatıyordu. Saçlarını arkaya atışındaki zerafeti ve bakışlarındaki asaleti annesinden almıştı. Birden öyle bir hava esti ki Nazan, Nalân'ın yanlarında olduğunu hissetti. Sanki onun kokusunu duymuştu, çok sıradan bir gündü ikisi de kızları ile birlikte çay içiyorlardı. Birazdan kızlar odalarına gidecek ve onlar da eşlerini ve kızlarını çekiştireceklerdi.

-Annecim neredesin? Bu nasıl dalgınlık böyle, gündüz rüyası mı görüyorsun yoksa?

Kızlar gözlerinde anlayışlı bir ifade ile ona bakıyorlardı. Sevgi artık alışmış olduğu için annesinin kitapları her seferinde ona hüzün vermiyordu. Ama Nazan'a çok uzun yıllar öncesinde kalmış mutlu günleri anımsatıyordu. Kütüphane ve kitaplar bir zaman makinesi niteliğindeydi. Aynı hisleri Sevgi de annesinin, babasının ve kendisinin eski fotoğrafları karşısında duymuştu. Bildiği tek fotoğraftan sonra gördükleri onu çok farklı bir dünyaya götürmüş, adeta bir zaman tünelinden geçmişti. Bu yüzden Nazan'ı çok iyi anlıyordu. Sevgi, duygu yüklü gözyaşlarını tutamadan kendisini onun kollarına attı.

-Size sarılınca anneme sarılmış gibi hissediyorum! Daha önce de babaannem beni sevgiyle kucaklardı, sarılırdı ama asla böylesine duygulanmadım. İnanmayacaksınız ama annem gibi kokuyorsunuz! Annemin kokusunu hiç unutmadım ben! 135

Sevgican da kalkıp onlara sarıldı. Sözcüklerle tarif edilemeyecek bir duygu seline kapılmışlardı. Aynı anda dışarıda yağmur başlamıştı. Havanın birden karardığını anlamamışlardı. Şimşekler çakmaya iri yağmur damlaları pencereyi dövmeye başlamıştı.

Pek çok kez yağmurlu günlerde pencerenin önünde oturur gelene geçene bakardı. Onlar hakkında öyküler uydururdu, bu öykülerden kendisine de pay çıkarırdı. Orada annesi ile birlikte oturduğunu düşünür, şimşek çaktığında ise hemen kalkıp sımsıkı sarılır kokusunu içine çekerdi. Bu düşü şimdi tamamen gerçek olmuştu. Çünkü yağmur yağıyordu, şimşekler çakıyor ve o annesine sarılıyordu kokusunu içine çekerek...

Nazan ne kadar zamandır iki kızın onu boğacak gibi sarılmış olarak durduklarını bilmiyordu. İkisinin de saçlarını okşadı, gülümsedi. Sevgili arkadaşının da yukarılarda bir yerlerden ona gülümsediğini yüreğinin derinliklerinde hissetti.

-Bu yağmurda birer fincan çay daha içilmez mi, ne dersiniz?

Bunun üzerine iki kız da kalkıp mutfağa gittiler. Bu arada çaydanlıktaki su tamamen bitmiş ve neredeyse yanacak duruma gelmişti.

Eve dönerlerken, güneş bulutların arasından çıkmış ve yerleri kurutmaya başlamıştı. Güneşle birlikte onların da gözlerindeki hüzün yerini neşeye bırakmıştı. Yolda sadece havadan sudan konuştular, Sevgi'nin evinde yaşadıkları duygusal anlardan bahsedilmedi.

Murat eve dönmüş ve onları merak etmişti. Biraz sonra, neşe içinde mutfakta yemek hazırlıyorlardı.

12. BÖLÜM

Ertesi sabah Sevgi nedense içinde büyük bir sevinçle uyandı. Bu hissi neye bağlayacağını bilmiyordu. Giyindi ve mutfağa indi. Nazan ve Sevgican kahvaltı hazırlıyorlardı.

Kahvaltı bitmiş keyif çaylarını içerlerken telefon çaldı. Sevgi daha önce aldığı karar üzerine ilk kim ararsa onunla buluşacaktı. Telefonunda Alper'in adını görünce gözlerinden ince bir bulut geçti ama toparlandı ve telefonu açtı.

Yaklaşık bir saat sonra Alper gelip Sevgi'yi evden aldı. Sevgi selam faslından sonra çok az vakti olduğunu ve bugün önemli bir işin peşinden koşması gerektiğini geveledi ağzında... Alper ise biraz ısrarcı ve kendi isteklerini kabul ettirmeye alışmış baskıcı bir karaktere sahip olduğundan, onun daha arabaya biner binmez bu şekilde konuşmasına bozulmuştu. Oysa, buluşmanın kendisi için verimli olmasını arzu ediyordu. Nilgün yoktu ne de olsa!

Alper, tam onunla bir konu hakkında konuşmak istediğini söyleyecekti ki Sevgi'nin telefonu çaldı. Nilgün arıyordu! Sesinde biraz sitem varmış gibi gelmişti. Arkadaşını çok iyi tanırdı. Sözcükler her zamanki gibiydi ama Sevgi anlamıştı ki, Nilgün ona kırılmıştı. Gerçekten de onu ihmal etmişti. Akşama görüşmek üzere Nilgün'le sözleşip telefonu kapattı. Bugün çok uzun olacaktı. Sabah Alper; öğlenden sonra Serdar ve akşam da Nilgün!..

Sevgi o gün kendisini hayatın rüzgârına bırakmıştı. Kim nereye götürürse oraya gidecekti. Tıpkı savrulan bir yaprak gibi...

Yemek için erken olduğundan kahve içmeye deniz kenarında bir çay bahçesine gittiler. Alper biraz dönüp dolaştırdıktan sonra sözü bankaya yatırılan paraya getirdi.

-Bu paradan nasıl yararlanmayı düşünüyorsun?

-Bilmiyorum, aslında dün bir karar verdim ama Nilgün'ün babası ile görüşmem gerekiyor. Belki söyledim daha önce, aynı zamanda o benim patronum. Onunla konuşayım, sonra bu konuya tekrar döneriz olur mu?

-Tabii ki olur. Ben sana her konuda yardımcı olmak isterim. Günlerdir uyuyamıyorum, sana karşı içimde adlandıramadığım duygular var. Sakın sözümü kesme...Vicdan azabı mı yoksa seni TV programında, yıllar sonra ilk kez gördüğüm anda ne kadar hoşlandığım mı? Aynı anda Nilgün'ü de gördüm ama ona sadece arkadaşça duygular besledim...

Sevgi şaşırmamıştı, bu konuşmayı bekliyordu. Aslında bu sözleri duymak istediği kişi değildi ama yine de hoşuna gitmişti. Şu anda karşısında oturan düzgün giyimli, gözlerinden zekâ fışkıran, hayattan darbe yemediği ve mükemmel şartlarda büyüdüğü belli olan, kendinden emin genç adam ona yıllar önce okul bahçesinde baktığı gözle bakmıyordu. Belki de bu ilgisi, Sevgi'ye çocukken söylediği sözler yüzünden içinde taşıdığı vicdan azabından kaynaklanıyordu? Artık çocuk değildiler. O günler yıllar öncesinde, sisli birer anı olarak kalmış ve unutulmuştu.

Tam da o anda, Sevgi'nin telefonu tekrar çaldı. Arayan Serdar'dı. Sevgi bu görüşmenin kesilmesini arzu etmiyordu ama yine de memnun olmuştu. İki saat sonra buluşmak üzere sözleştiler. Alper bu konuşmadan aşırı derecede rahatsız olduğu halde belli etmedi. Serdar'dan hoşlanmıyordu. İlk kez birisini kendine rakip olarak görmüştü. Daha önceki kız arkadaşlarında böyle bir duygu yaşadığını hiç anımsamıyordu. Çünkü kimse ona rakip olamazdı.

"Analiz yeteneğinin sezi olarak algılanması şaşırtıcı değildir!.." der **Edgar Allan POE**. Alper'de müthiş bir analiz yeteneği vardı ve bu yüzden olacakları seziyordu. Kendisine itiraf edemese de bu savaşa mağlup olarak başladığından emindi, ama mücadele etmeden meydanı terk etmeyecekti.

Telefondan sonra Sevgi'nin huzursuzluğunu fark etmişti. Bir an önce gitmek istediği çok belliydi. Alper böyle bir durumda daha fazla kalmak istemiyordu. Sevgi'yi istediği yere bırakabileceğini söyledi. Sevgi de bunu saklayamadığı bir sevinçle kabul etti.

Serdar'ın arabasını gördüğü anda yüreği bir kuş gibi çırpınmaya başlamıştı. Dizlerinin titrediğini hissetti. Ne oluyordu böyle? Neden bu kadar etkilenmişti? Serdar bir işi çıktığını ve onunla ancak bir kahve içebileceğini söylediğinde ise uğradığı hayal kırıklığı müthişti. Oysa onunla çok güzel bir öğleden sonra geçireceğini düşünmüştü. Önce yemek yiyecekler daha sonra da çay içmek için başka bir yere gideceklerdi. Tüm hayalleri yıkılmıştı. Belki de Serdar sırf ona tekrar görüşmek için söz verdiği için gelmişti aslında onunla çıkmak filan istemiyordu... Kim bilir?

Kahvelerini içerken Sevgi'nin gözlerinde uğradığı hayal kırklığının izlerini gören Serdar bir açıklama yapma ihtiyacı hissetti.

-Çok özür diliyorum, gerçekten çok önemli bir işim çıktı, gitmek zorunda olduğum için üzgünüm. Ama sana söz veriyorum. Bugünü telafi edeceğiz. Yarın sabahtan akşama kadar beraber olmaya ne dersin? Hem seninle konuşmak istediğim birkaç konu var."

Sevgi saklayamadığı bir coşkuyla:

-Oh! Gerçekten çok sevinirim. Ben de seninle konuşmak istiyorum. Sanırım yardımına ihtiyacım var!

-O halde anlaştık! Ben şimdi gitmek zorundayım. TV'de bekliyorlar. Yarını büyük bir özlemle bekleyeceğim.

Sevgi büyük bir sevinçle ayağa kalktı ve çıktılar, o gece Nilgünler'de kalacaktı. Ama önce evine uğramak istiyordu. Serdar onu evine bıraktı. Böylece Sevgi, kısa bir süre de olsa istediği gibi yalnız kalabilecekti.

Sevgi evinde biraz oturup kendini dinledi. Yanına aldığı annesinin Nazan'la birlikte çekilmiş bekârlık fotoğrafına baktı. O kadar çok annesine benziyordu ki. Kendisinde bulunan tek fotoğrafta ise annesi çok değişik çıkmıştı. Eski bir fotoğraf karesinden gülümseyen genç kız onun annesiydi ve o sırada onunla aynı yaşlarda olmalıydı. Şimdiye kadar bilmediği pek çok şey için babaannesine kızacak gibi olduysa da sonradan vazgeçti. Nazan'ın üstü kapalı söylediklerinden çıkarabildiklerini şimdi uygun bir zaman bulmuşken düşünmek istiyordu.

Babaannesi, babasının Nalân ile evlenmesini istememişti. Çünkü onu kendi istediği bir kızla evlendirmeyi düşünüyordu. Tam kızı istemeye gideceğini Kemal'e söylediğinde kıyamet kopmuştu. Çünkü o, bankada çalışan bir kızla tanıştığını ve onunla evlenmek istediğini hatta yakın bir tarihte gidip isteyeceklerini söylemişti. Babaanne bunu duyunca Kemal'e istediğini yapabileceğini fakat bir daha onu asla göremeyeceğini söylemişti. Kemal ise "nasılsa evlendikten sonra affeder" diye Nalân ile evlenmişti. Nalân'ın annesi ve babası yoktu. Onlar öldükten sonra uzak akrabaları ona bir müddet bakmıştı. Bankada işe başladıktan sonra kendisine bir ev kiralamış ve yalnız yaşamaya başlamıştı. Sevgi, düşüncelerinin burasında "Annemle benim kaderim ne kadar da benziyor!" diye düşündü. Zavallı annesi belki de akrabalarından hiç sevgi görmemişti. İşe girer girmez o evden ayrıldığına göre... Kendisine gülümseyen annesine bir kez daha baktı. Demek ki yüzleri gibi, kaderleri de benziyordu.

Daha sonra Nalân ve Kemal evlenmişler ama babaanne onları asla affetmemişti. Hatta Nalân'ı hiç görmemişti bile. Hemen evini satıp başka bir şehre taşınmış ve izini kaybettirmişti. Bu bilgileri hiç istemeyerek de olsa Nazan hanım vermişti. Sevgi şimdi bazı boşlukları doldurabiliyordu. Babaannesi hiç annesi ve babasından bahsetmezdi. Israrla sorduğu sorulara bile yanıt vermekten kaçınırdı. Bu yüzden onlar hakkında hiçbir bilgi sahibi olmadan büyümüştü. Kazadan sonra polisler tek yakını olarak babaanneyi bulup, haber verdiklerinde ise evden sadece kütüphaneyi, kitapları bir de fotoğraf almış ve Sevgi ile beraber İstanbul'un uzak bir semtine yerleşmişti.

Sevgi düşündükçe daha çok hüzünleniyor ve üzülüyordu. Babaannesine kızmak istiyor ama kızamıyordu. Belki onun da kendine göre haklı sebepleri vardı. Yine de bilmek istediği daha pek çok şey ve kafasını kurcalayan yanıtsız sorular vardı. Ne yapıp edip öğrenecekti. Öğrenmeliydi. Uzun yıllar boyunca bilmeden yaşadığı gerçekleri şu anda olsun öğrenmeye hakkı vardı. Üzülse de bilmek istiyordu. Bilmeliydi!..

Aradan ne kadar zaman geçmişti bilmiyordu. Nilgün'ün telefonu ile kendine geldi. Hemen geliyorum dedikten sonra evden çıktı ve koşar adımlarla arkadaşının evine gitti.

Nilgün onu, saklamaya çalıştığı fakat Sevgi çok iyi tanıdığı için hemen anladığı bir kırıklıkla karşıladı. Aile ile birlikte biraz oturduktan sonra Nilgün'ün odasına çekildiler.

Sevgi arkadaşına içten gelen bir özlemle sarıldı. Nilgün'ün kırık kalbini nasıl tamir edeceğini biliyordu. Nazanların evinde kalmasını ve Sevgican ile arkadaşlığını kıskanmıştı. Çünkü daha önce tek arkadaşı olduğu kızın başka arkadaşları ve hayatının olabileceğini anlamıştı. Hem artık o zengin bir kızdı. Belki başka bir yerde yaşayacaktı. Bir sürü arkadaşı olacak, onu anımsamayacaktı bile. Eski bir çocukluk arkadaşı olarak kalacaktı.

İki arkadaş birbirlerine sarılıp ağladılar ve sonra oturup konuşmaya başladılar. Nilgün bir şey yokmuş gibi davranmaya çalışıyordu. Ama her ikisi de biliyordu ki artık hiçbir şey eskisi gibi olmayacaktı.

Birlikte çay içip bir şeyler yedikten sonra neşelenmişlerdi. Artık kahkahaları geliyordu odadan. Sevgi arkadaşına karşı nedense mahcup durumdaydı. Biraz sonra, Nilgün'ün babası ile görüşmek üzere salona gittiler. Sevgi bankadaki para için ona akıl danışacağını söyledi. Daha doğrusu bu paranın büyük bir kısmını yetiştirme yurdundaki çocuklar için kullanmak istiyordu.

Sami, kendi finans danışmanları ile bu konuyu konuşacağını ve artık merak etmemesini söyledi. Aslında onun gibi bir genç kızın parasını daha farklı bir yerde kullanmasını isterdi ama kendi bilirdi. Örneğin, dünyayı dolaşabilirdi bu parayla...

Kızlar daha sonra odaya gittiklerinde tekrar Sevgican konusu açıldı. Sevgi, biraz da çekinerek "Acaba onu da aralarına alabilirler mi?" diye yokladı Nilgün'ü ama pek umut yok gibiydi! Nilgün Sevgi ile olan arkadaşlığını bozar diye aralarına bir başkasını almak istemiyordu. Sevgi, bu sorunu zamana yayarak çözmek üzere şimdilik unuttu.

Uyumak akıllarına geldiğinde saat çoktan gece yarısını geçmişti. Sevgi'nin beyni o kadar yorgundu ki o gece pek çok rüya görmesine rağmen sabah kalkınca hiçbirini anımsayamadı.

13. BÖLÜM

Uyandığında birden nerede olduğunu çıkaramadı. Kendi e-
vinde değildi, birkaç gündür kaldığı Nazan'ın evinde de değildi.
Sonunda Nilgün'ün ona sevgi ile gülümseyen yüzünü görünce
kendine geldi. Nilgünler'de kalmıştı o gece ve bugün Serdar ile
buluşacaklardı. Aklına gelince birden kalbi çarpmaya başladı.
Nilgün'ün duymasından endişe ederek:

-Bugün Serdar ile buluşacağım biliyor musun? Çok heyecan-
lıyım ve eminim ki bugün bir ilişkimiz varsa şekillenecek, olma-
yacaksa da belli olacak.

-Peki sen bunu anlayamıyor musun?

-Benim anladığım kadarı ile Serdar psikiyatr olduğu ve be-
nimle de işi icabı tanıştırıldığı için çelişki duyuyor. Meslek eti-
ği gereği bana ilgi duymaması gerekir.

-Boş ver bunları yaa...Hayat öyle kısa ki! Ne olur sanki dok-
torsa? Aşk hiçbir zaman kural tanımaz!

Sevgi içinden "'İnşallah Serdar da Nilgün gibi düşünüyor-
dur" dedi ama böyle olmadığını da içinden başka bir ses ona fı-
sıldadı.

Biraz sonra Serdar'ın arabasındaydı. Bu genç adamda müthiş bir çekim vardı. Bakışı, konuşması ve özellikle de kokusu. Traş losyonu, parfüm ve sabun karışımı son derece erkeksi bir kokusu vardı ve Sevgi'yi müthiş etkiliyordu. Serdar gülümsüyordu. Dünün aksine gergin görünmüyordu bugün. Sevgi buna sevindi çünkü yanındaki gergin olursa o da kendisini iyi hissetmezdi.

Serdar ona iyi haberleri olduğunu söyledi.

-Deniz kenarında bir yemeğe ne dersin?

-Tabii ki hoşuma gider. Seninle olduktan sonra yerin pek önemi yok aslında!

İşte yine Şile yolundaydılar. Artık onların mekânı olmuştu. Sevgi kumsalda onunla el ele koşmak istediğini söyledi biraz utanarak.

-Neden olmasın! Koşarız, yürürüz, hatta denize bile gireriz!

-Daha mayıs ayındayız denize girilmez ki bu mevsimde.

144   -Baksana güneş ne kadar güzel parlıyor. Hava çok güzel! Hayat çok güzel! Lütfen tadını çıkaralım artık, başka bir şey düşünme bugün.

Yolun sonraki bölümünde fazla bir şey konuşmadılar. Lokantaya geldiklerinde güneş iyice kendini hissettirdiğinden ve acıktıkları için hemen ağaçların altında gölgede kalan bir masaya oturdular.

Serdar akşam babası ile konuşmuş ve kendisi ile ilgili bir karara varmıştı. Babası bir doktorun hastasına farklı bir gözle bakmaması gerektiği konusunda onunla hemfikirdi fakat Sevgi onun hastası değildi. Özel bir durumu vardı onun. Bir TV stüdyosunda karşılaşmışlardı iş gereği. Böylece Serdar'ın eğer ileriye dönük ciddi bir niyeti de varsa hoşlandığı kız ile arkadaş olmasında bir sakınca yoktu. Babası özellikle belirtmişti ki eğer bir macera yaşamak istiyorsa işte o zaman bu kız sakıncalıydı.

Serdar babası ile yaptığı konuşma sayesinde o anda Sevgi'nin yanında son derece rahat ve sevinçliydi. Söyleyeceği çok fazla şey vardı ama nereden başlayacağını da pek bilemiyordu doğrusu. O da bir yerden başladı:

-Sevgi, biliyorsun ben bir psikiyatrım, seninle de ek görev yaptığım bir TV programında tanıştırıldık. Aslında seni tanıştıran benim çok samimi arkadaşım Olcay'dır. Anımsıyorsun sanırım, böylece biz bir arkadaş tarafından tanıştırılmış oluyoruz.

Sevgi, Serdar'ın yüzüne dikkatle baktı. Önce onun kendisi ile alay ettiğini sandı fakat gözlerindeki ifade çok samimi görünüyordu. Daha sonra Serdar babası ile yaptığı konuşmayı anlatınca ikna oldu onun dalga geçmediğine. Bir an için çok üzülmüştü. Buralara kadar geldiği bu genç adamdan gerçekten hoşlanıyordu ve onunla uzun süreli bir arkadaşlık hatta daha fazlasını istiyordu ama bunu henüz itiraf edememişti.

O yemekte pek çok şey konuştular. Daha sonra kalkıp el ele kumsalda yürüdüler. Serdar, dalgaların yuvarlayıp parlattığı, pembenin pek çok tonunu yansıtan bir taş gördü. Eğilip aldı, bir müddet avucunda tuttu ve taşı bir tören havası ile Sevgi'ye verdi.

145

-Sana şu anda pırlanta taşlı bir nişan yüzüğü vermek isterdim ama bu taş şu anda benim için çok değerli. Çünkü, dünyanın ve dolayısıyla benim dünyamın bir parçası. Bu taşı sana veriyorum. Böylece kendimden bir parçayı da sana vermiş oluyorum. Bu taş senin uğurun olsun ve yanından hiç ayırma, baktıkça beni hatırla.

Sevgi'nin gözleri yaşarmıştı. Taşı aldı, avucunda tuttu, sıcacıktı. Taştan tüm vücuduna yayılan enerjiyi hissetti. Serdar'ı yanağından öptü ve teşekkür etti.

-Bu taşı ömrüm oldukça yanımdan ayırmayacağım. Benim için pırlantadan daha değerli. Çünkü o senden bir parça.

Daha sonra dönüp çay içtiler. Vaktin nasıl geçtiğini anlayamamışlardı. Sevgi'nin telefonu çalıp da ekranda Alper'in adını görünce yüzünü buruşturdu. Bir an açıp açmamakta kararsız kaldı. Serdar açmasını ve konuşmasını söyledi.

Alper onu mutlaka görmesi gerektiğini söylüyordu. Çok da önemliydi! Sevgi'nin canı sıkılmıştı. Artık rüya bitmişti ve zaten dönmeleri de gerekiyordu. Dönüş yolunda birkaç sözcük dışında hemen hemen hiç konuşmadılar. Sevgi pembe taşı avucundan hiç bırakmadı. Evine gelmişti, akşam olmak üzereydi. Alper'i aradı ve gelip onu alabileceğini bildirdi.

Bugün Serdar ile ciddi bir konuşma yapmışlar ve Sevgi gelecek günlerde onun bir adım daha ileri gidebileceğini sezinlemişti. O akşam Serdar'ın gündüz söylediği tüm sözcükleri tekrar zihnindeki süzgeçten geçirecekti. Böylece daha sağlıklı bir şekilde düşünebilecekti.

Böyle durumlarda karşısına hep Alper'in çıkmasına canı sıkılıyordu. Keşke Nilgün onu arayıp bulmasaydı diyecek oluyordu ama onun pişmanlık dolu ve özür diler tavrını ve sevimli çocuk gözlerini görünce vazgeçiyordu.

Alper ile de ciddi bir görüşme yapması gerektiğine karar vermişti onu beklerken. İşte erkenden gelmiş ve bekliyordu.

Sevgi bir an kendisini ikiye ayrılmış bir yolun başında hissetti. Sağa sapan yolda Alper bekliyordu. Sola sapan yolda ise biraz önce onu eve bırakan Serdar yürüyordu. Aynı anda her ikisini de görebiliyordu. Birisi konuşmasını yapmış ve gidiyordu. Diğeri ise daha farklı şeyler anlatmak üzere geliyordu. Yol ayrımında, bir an kendisini çaresiz hissederek sanki ne yapması gerektiğine karar veremeyecekmiş ya da verdiği karar yanlış olacakmış gibi bir duyguyla durdu ve bekledi...

Alper onu görmüştü yanına geldi. Yüzünde kocaman ve gerçekten samimi olduğuna inandığı bir gülümseme ile Sevgi'yi selamladı ve öptü.

-Ne kadar güzelsin bugün, saçaklarına ne yaptın?

Sevgi uzun saçlarını tepesinde bir toka ile tutturmuş ve jölelemişti. Çok düzgün bir şekilde omuzlarına dökülüyorlardı. Çocukken babaannesi de saçlarını böyle toplardı ama hep saçları gözünün üstüne düşer ve ona gerçekten de saçaklı bir hava verirdi! Sevgi o günleri tekrar anımsadı ve gülümsedi.

-Hâlâ unutmadın mı o günleri? Artık büyüdük biz.

-Sevgi inan bana, seni TV'de gördüğüm ilk andan beri gözüme uyku girmiyor. Hep seni düşünüyorum. Her an her dakika, uykuya dalmadan önce son düşündüğüm ve uyandığımda yine ilk aklıma gelen sen oluyorsun. Bu nedir bilmiyorum ama çok perişanım ben.

Sevgi ona baktı. Gözlerindeki ifade onun doğru söylediğini gösteriyordu.

-Bu konuyu böyle arabanın içinde konuşamayız, istersen bir yerde oturalım öyle konuşalım.

Sevgi'nin telefonu tekrar çaldı bu kez arayan Sevgican'dı. Ona iki saat sonra geleceğini söyledi. Nazanlar'ın evine yakın yerde bir kafeye gittiler. Böylece zamandan kazanacaklardı.

Sevgi sözü fazla uzatmadan Alper'in ona hislerini dökmesi karşısında şaşırmamıştı, bekliyordu zaten. Bu akşam onunla konuşup bir sonuca bağlanması gerektiğini de biliyordu.

Aslında o yol ayrımında durmuş beklerken gelenin Serdar, gidenin ise Alper olmasını istediğini düşündü. Ama orada tam tersini hissetmişti. Belki de o andaki konumdan böyle hissetmişti kim bilir?

Hayatımızdaki yol ayrımlarında verdiğimiz kararlar çok önem taşır. Bir anlık yanılma bizi çok farklı bir geleceğe götürür. Orada durup, çok iyi düşünüp öyle karar vermemiz ve doğru yolu seçmemiz gerekir. Ama hangimiz böyle zamanlarda doğru yolu seçtiğimizden emin olabiliriz ki? Çünkü seçtiğimiz yolun bizi taşıdığı gelecek ile diğer yolun bizi götüreceği muhtemel gelecek birbirinden çok farklıdır. O gün bunu bilmemize olanak yoktur. Bilmediğimiz bir gelecek de bizi fazla endişelendirmez.

Alper, karşısında oturan bu güzel ve sempatik kızdan çok hoşlanıyordu. Ama ona âşık mı olmuştu yoksa diğer kız arkadaşlarında olduğu gibi bir anlık hoşlanmanın sonucu muydu bunu bilemiyordu. Bu kıza karşı uzun yıllardır ince bir sızı halinde yüreğinde taşıdığı vicdan azabı içini kemirip duruyordu. Yıllar boyu, zaman zaman onu düşünür, alay edip kızdırdığı anlarda boynunu büküp iri iri açılmış kocaman, hüzünlü, çaresiz gözlerle baktığını anımsar ve içi burkulurdu. Hep düşünürdü keşke bir gün onunla karşılaşsa ve bu duygularını ona anlatabilse...

İşte bugün o gündü!.. Onun hakkında geçmişte duyduğu tüm azabı anlatacak, affetmesini isteyecek ve arkadaş olmak istediğini söyleyecekti. Böylece bu sıkıntıdan kurtulacaktı. Alper bunları düşünerek söze başladı.

-Sevgi, o zamanlar hepimiz küçücük birer çocuktuk...

Alper uykusuz geçirdiği gece boyunca tüm sözcükleri tek tek seçerek hazırladığı konuşmasına başladı. Belki de hayatında uzun süreden beri ilk defa, parlak inci taneleri halinde düşen gözyaşlarına engel olamayarak af dileyen gözleriyle Sevgi'nin yüreğinin içine işleyen bir bakışla baktı.

-Ne olur beni affettiğini söyle ve ruhumu serbest bırak, ne olur!

Sevgi etraftan merakla kendilerine bakan insanlara aldırmayarak onun ellerini avuçlarına aldı ve:

-Alper, Nilgün ile ben de suçluyuz. Unuttun mu o gün seni öğretmene şikâyet etmiştik. Öğretmenin konuşmasından sonra sen ağlamaklı bir yüzle sınıfa gelmiştin. Ben o gün kendi kendime söz vermiştim. Bir daha sen beni kızdırdığında gülüp geçecek, hiç kızmayacaktım. Çünkü biz arkadaştık ve ben seni o zaman da seviyordum. Fakat ertesi gün sen okula gelmedin. Daha sonra sırf bu sebepten başka bir okula gönderildiğini duyduk. Senin gibi, Nilgün ve ben de aynı vicdan azabını duyduk yıllar boyu. Bazen seni konuşur "keşke karşılaşsak!" diye düşünürdük. Belki de sen bizi anımsadığın ve düşündüğün zamanlarda biz de seni düşünüyorduk...

Sevgi'nin de gözlerinde yaşlar tomurcuklanmaya başlamıştı. İki eski çocukluk arkadaşı, birbirlerinin ellerini tutarak ve ağlayarak konuşuyorlardı. Etraftan bakanlara göre, uzun süre dargın kalmış ve barışmak üzere olan iki eski sevgili gibi duruyorlardı.

Sevgi kendine Alper'in bu kadar duygusal olduğuna inanamadığını itiraf etti. Çocukken ondan hoşlanırdı. Alaylarına karşılık verirdi ama içinden de üzülürdü.

İşler iyice karışmıştı. Sevgi hemen hemen aynı zamanlarda karşılaştığı iki genç adamdan Serdar'a âşık olduğunu düşünüyordu. Alper onun çocukluk arkadaşıydı ve öyle de kalması gerekiyordu. Diğer taraftan Nilgün, Alper'i gördüğü andan itibaren ona karşı olan duygularını Sevgi'den saklamamıştı. Oysa Alper, Nilgün'e sadece bir çocukluk arkadaşı gözüyle bakıyordu. Böylece ortaya karmakarışık bir dörtlü çıkmıştı.

Sevgi biraz sonra bu masadan kalkarken kesin kararını vermiş olmayı diliyordu. Aynı zamanda Nilgün için de bir açık kapı kalmasını arzu ediyordu. Serdar'dan ayrılalı az bir zaman olduğu halde onu özlediğini ve bir an önce tekrar görmek istediğini de biliyordu.

-Alper, Serdar'dan hoşlanıyorum hatta ona âşık oldum. Biz çocukluk arkadaşıyız ve öyle kalalım. İnan bana böylesi daha iyi olacak.

149

Alper bu sözleri duymayı beklediği halde sendeledi. Artık her şey bitmişti. Sevgi'ye baktı, "Böyle olmamalıydı!" diye düşündü, daha önce onu kimseye kaptırmayacağını düşünürken son anda vazgeçti. Oyuncağı elinden alınmış bir çocuk gibi boynu bükük oturuyordu. Oysa gelirken ne hayaller kurmuştu. Sayısını bile unuttuğu kadar çok kız arkadaşı olmuştu ve hayatında ilk kez o gece Sevgi'ye evlenme teklif etmeyi düşünmüştü.

Alper birden ayağa kalktı, Sevgi'yi yanaklarından öptü, sadece "elveda" dedi ve onu orada öylece bırakıp gitti. Sevgi bir süre kendine gelemedi. Etraftaki meraklı bakışları yakalayınca durumu anladı. Hemen kalktı ve hesabı ödeyip çıktı.

Hava kararmış ve rüzgâr çıkmıştı. Temiz hava Sevgi'ye iyi gelmişti. Eve doğru yürürken üzgündü. Yarın Alper'i arayıp gönlünü almalıydı. Kalbini kırdığını hissetmişti. Giderken gözlerindeki ifadeyi asla unutmayacaktı.

Sevgi, Alper'i bir daha hiç görmeyeceğini o anda bilmiyordu!

Biraz sonra girdiği evdeki pozitif hava Sevgi'yi de etkiledi ve neşelendi. Aslında kendisini hafiflemiş hissediyordu. Çünkü Serdar ile bir başlangıç, Alper'le ise bir sonuç konuşması yaptığına inanıyordu. Her ikisini de seviyordu. Ama farklı duygularla. Belki Alper ile Nilgün beraber ve mutlu olurlardı. Bu düşünce beyninde belirdiği anda olmayacağının sinyallerini de almıştı ama aldırmadı.

O gece yatağına uzandığında müthiş bir gün yaşadığını düşündü. Her şey istediği gibi olmuştu. Ertesi gün önce Serdar'ı sonra Nilgün'ü daha sonra da Alper'i aramayı kararlaştırdı. Beyni o kadar yorgundu ki günlerdir ilk kez ne zaman uykuya daldığının farkına bile varmadı.

14. BÖLÜM

Sevgi kalktı, giyindi ve aşağıya indi. Mutfaktan mis gibi kokular geliyordu. Birden kendisini o kadar mutlu hissetti ki. Gidip Nazan'a ve Sevgican'a sarıldı. Onları kısa bir süre içinde gerçek ailesi gibi benimsemişti. Dışarıda güneş parlıyordu. Hayat güzeldi ve yaşamaya değerdi. Sevgi son birkaç haftada hayatında ne kadar çok değişiklik olduğunu düşündü. Bunları sanki bir romanda okuyor gibiydi. "Gerçek olamaz" diye düşündüğü anda bankadaki parası geldi aklına. Bu kez yüzünden bir bulut geçti.

-Ne o yine neler geçiyor aklından bakalım? Gel şöyle otur seni bir sorguya çekelim dün neler yaptığını anlat bize!

Sevgican artık merakını saklayamamıştı. Dün neler olmuştu. Serdar ve Alper ile neler konuşmuştu? Bir gece önce Nilgün neler anlatmıştı? Hepsini duymak istiyordu.

Sevgi, muhteşem kahvaltı sofrasında karşısında oturan iki güzel hanıma göz kırptı.

-Her şey sizin tahmin ettiğiniz gibi gelişti...

diye söze başladı. Sevgican hemen onun sözünü kesti.

-Böyle kaçamak yok, hepsini tek tek anlatacaksın. Önce Serdar'dan başla!

Sevgi sırayla gittikleri yerleri ve konuştuklarını anlattı. Nazan saklayamadığı bir endişe ile onu dinlemişti. Sevgi'nin gözünden kaçmadı endişesi.

-Peki şimdi sırayla ara bakalım onları. Üzerinden bir gece geçtikten sonra neler düşünüyorlar. Aynı fikirde mi kalmışlar yoksa değiştirmişler mi? Böyle söyleyip göz kırptı.

Sevgi önce Serdar'ı aradı. Dünkü yakınlaşmalarından sonra sesi çok sıcak ve içten geldi Sevgi'ye. Uzunca bir süre konuşup telefonu kapattıktan sonra yanakları kızarmış, gözleri parlamıştı. Onun konuşmasını istemeden de olsa dinlemiş olan Sevgican ve Nazan da ona gülümsediler.

Bu arada kahvaltı bitmiş salona geçmişlerdi. Sevgican kahve yapmak üzere mutfağa gitmiş ve ikisi yalnız kalmıştı.

-Siz anladınız sanırım Nilgün benim burada kalmamı ve Sevgican ile olan ve bundan sonra daha da gelişecek olan arkadaşlığımızı kıskandı. Benim işim biraz zor gözüküyor.

-Üçünüzün çok iyi arkadaş olabileceğinize eminim. Sen onların arasında oldukça bunu başarırsınız.

Sevgi yine onun boynuna sarılmak için kalkıyordu ki elinde kahve tepsisi ile gelen Sevgican'ı gördü. Kahvelerini içtikten sonra Nilgün'ü aradı.

Nilgün'ün sesi de sıcak ve neşeliydi. Anlaşılan bir önceki gece onlarda kalması ve konuşmaları pek çok pürüzü halletmiş ve arkadaşı ikna olmuştu. Aslında sadece Alper ile ne konuştuğunu sormaması dikkatini çekti. Sevgi her ikisi ile güzel bir konuşma yaptığını ve bundan sonra her şeyin yolunda gideceğini düşündüğünü söyledi. Belki de Alper'in Nilgün ile sevgili olabileceğini düşündüğünü ise nedense söylemedi. Biraz sonra Alper'e telefon edeceğini söyleyince Nilgün de o gün Alper'i arayacağını söyledi, buna sevinmişti.

Şimdi sıra en zor olana gelmişti, derin bir nefes alıp Alper'in numarasını çevirdi. Telefonu kapalıydı. Saate baktı, belki de uyuyordu. "Sonra tekrar ararım" diye düşündü. Nazan ve Sevgican ile sohbet çok güzeldi. İkisi de harika insanlardı. Daha sonra Nilgün'ü tekrar aradı ve Alper'i arayıp aramadığını sordu. "Telefonu kapalı" yanıtını alınca içinden bir şeyler koptu sanki.

Çok merak etmişti, ne olmuştu acaba? Dün akşam kafeden onu öpüp de birdenbire çıkıp gittiği zamanki bakışını anımsadı. Acaba kaza mı yapmıştı? Neden telefonu kapalıydı. İçi içine sığmıyordu. Oturamıyordu artık. Nazan TV'yi arayıp ablasının numarasını almayı teklif etti. Evet, bu iyi bir fikirdi. Fakat uygulaması kolay olmamıştı. Bin bir dereden su getirerek Alper'in ablasının telefonunu öğrenebildiler. Daha doğrusu, kendi telefonlarını verip ablanın araması için beklemeye başladılar.

O bekleyiş süresi içinde akıllarından dile getiremedikleri pek çok şey geçti. Sonunda telefon çaldığında hepsi rahatlamıştı. Alper'in ablası ile Nazan konuştu çünkü Sevgi çok heyecanlıydı.

Nazan telefonu kapatıp da onların yanına geldiğinde iki kız da merakla yüzüne bakıyordu. 153

-Kızlar iyi mi kötü mü bilemiyorum aldığım haber, karar veremedim.

-Lütfen söyleyin! Kötü bir şey mi olmuş yoksa dün. Eğer öyleyse kendimi hiç affetmem!

-Alper bu sabah Amerika'ya gitmiş!

Sevgi bunu duyunca sevindi mi, üzüldü mü anlayamadı. Bir an tepkisiz kaldı fakat daha sonra bunun iyi bir haber olduğunu düşündü. Nazan, "Alper'in temelli olarak gittiğini zaten orada akrabaları olduğunu" söyledi. Ablası şöyle devam etmişti: "Burada henüz okulunu bile bitirmediğini öğrenimine orada devam edeceğini…Bu kadar ani bir kararı neden aldığına ailesi olarak bir anlam veremediklerini"… Nazan sustu.

Sevgi dünkü konuşmanın böyle bir sona bağlandığını ve Alper'i bulduğu anda kaybettiğini anladı. Birden karşısında, gözlerini iri iri açıp onu "Saçaklı Kız" diye kızdıran Alper'i gördü. Çocuk Alper'i öğretmene şikayet ettiği günün ertesinde, genç Alper'i ise bir başkasını sevdiğini söylediği günün ertesinde kaybetmişti. Alper sonsuza kadar hayatından çıkmıştı. Birden Nilgün için yüreğinde bir yer kanadı. Burgaç yüreğinde dönmeye ve ıstırap damlatmaya başlamıştı yine.

Nazan'ın sesini rüyada gibi duydu:

-Hadi gidip Nilgün'ü alalım sizi güzel bir yere götüreyim. İster misiniz?

İki kız bir ağızdan: "Ole!" dediler.Yolda Sevgi Nilgün'ü aradı hemen hazırlanıp aşağı inmesini söyledi. Eve vardıklarında Nilgün onları bekliyordu. Alper'den haberi yoktu. Nazan onları Çamlıca Tepesi'ne bırakarak, yakındaki bir arkadaşına gideceğini 3-4 saat sonra onları alacağını söyledi.

Üç kız, İstanbul manzaralı kafede oturup bir şeyler içerken konuşuyorlardı. Önce yaşıtları gibi güncel olaylardan bahsettiler. Biraz dedikodu yaptılar. Söz dönüp dolaşıp Alper'e gelince Sevgi'nin yüreğindeki burgaç biraz daha döndü.

-Alper Amerika'ya gitmiş!

Nilgün her iki kızın da dikkatlice yüzüne baktığını ve gözlerinde anlam aradığını bildiğinden hiç tepki vermiyordu. Ama Sevgi bu sahte maskenin ardında onun yüreğinin içini gördü ve acıyla inledi. Keşke böyle olmasaydı. Keşke Alper onu görmeden sadece Nilgün ile görüşseydi...Belki o zaman her şey daha başka olurdu. İşte hayatın bir cilvesi daha...

Nilgün onun için değil de kendisi için Alper'i arasaydı ve bulsaydı. Sonradan Sevgi ile karşılaşsaydı... Acaba o zaman daha mı farklı olurdu her şey?

Keşkeler ve acabalarla hayat geçmez! Demek ki, Nilgün ve Alper'in adı *"Kaderin kitabında aynı sayfada ve aynı satırda yazılmamıştı"*.

Nilgün, Sevgi'nin en kötü günlerinde yanında bulunmuş ve ona destek olmuştu. Şimdi sıra Sevgi'deydi. Arkadaşının bu kötü gününde ona yardımcı olmalıydı. Kendini bildi bileli, aynı yaşta olmalarına rağmen Nilgün ona bir nevi ablalık ya da annelik yapmıştı. Hem de Alper'in dediği gibi "Avukat"ı olmuştu. Alper aklına gelince yüzünü buruşturdu. Demek ki çok kırılmıştı. Ablası daha önce de sık sık gittiği Amerika'ya yakında temelli olarak gitmeyi planladığını ama bu beklemedik erken gidişinin sebebini bilmediğini söylemişti. Oysa Sevgi çok iyi biliyordu!

Nilgün normal davranmaya çalışıyor, gülüyor ve konuşuyordu. Özellikle de Sevgican'a sorular yöneltiyor, yanıtlarını dikkatlice dinliyordu. Sevgi onu o kadar iyi anlıyordu ki. Şu anda acı çekiyordu. Buna sebep olduğu için kendisine kızıyordu. Ama yapabileceği bir şey yoktu ne yazık ki, her şeyi zamana bırakmaları gerekiyordu. Hep öyle derler ya! Zaman, en iyi ilaçtır.

Nazan onları almak için aradığında henüz havaya girmişlerdi. Önce yemek yemişler sonra Çamlıca Tepesi'nde nefis İstanbul manzarasını seyrederek bir tur atmışlardı. Sonra tekrar kahve içmek için kafeye dönmüşlerdi. Nilgün, Alper şokunu atlatmışa benziyordu. Sevgi öyle olmadığını biliyordu. Sevgican ile Nilgün çok iyi anlaşmışlardı. Sevgican'ın meğer ne kadar çok ihtiyacı varmış böyle arkadaşlara. Anlattığına göre, arkadaşları sadece aldıkları pahalı giysileri ve gittikleri lüks mekanları anlatmak için birbirlerini ararlarmış. Sevgi ile Nilgün'ün çok farklı olduklarını söylediğinde kızlar da biraz şaşırmıştı doğrusu.

Nazan onları alıp da dönüş yoluna koyulduklarında Sevgi bir teklif yaptı. Daha doğrusu önce Nazan'dan izin aldı. Sevgican'ı ve Nilgün'ü kendi evine götürecekti. Bu gece üç kız yalnız kalmak istiyorlardı. Nazan biraz tedirgin olmakla birlikte izin verdi. Çünkü kızının, bu kızlarla kaynaşması böylece daha kolay olacaktı. Akşam yiyecekleri yemeği dışarıdan alacaktı. Kızlar bunu kabul ettiler çünkü konuşmak için daha çok zamanları olacaktı. Böylece, yemek hazırlamak için vakit kaybetmeyeceklerdi.

Nilgünlere de uğrayıp izin aldılar ve Nazan onları aldığı yiyeceklerle birlikte Sevgi'nin evine bıraktı. Aklına genç bir kızken Nalân'ın evinde kaldığı günler geldi. Sabaha kadar oturur konuşurlardı. Önce bankadan dedikodu yaparlar sonra da nişanlılarını çekiştirirlerdi. Her ikisi de o zamanlar yemek yapmayı pek bilmediği için dışarıdan hazır bir şeyler alırlardı.

Nazan, gözlerinden akan yaşların araba kullanmasını engellediğini fark edince sağa yanaşıp durdu ve bir süre bekledi. Ne kadar mutlu günlerdi onlar! Aslında şimdi de mutluydu. Çok iyi bir eşi vardı, Murat çok iyi bir babaydı aynı zamanda. Ama ne olurdu Nalân ve Kemal de sağ olsalardı da kızları bıraktıktan sonra hep beraber olsalardı! Ne olurdu? Yüreğindeki yarayı iyileştirecek hiçbir ilaç yoktu. Zaman diyorlardı ama zamanın da iyileştiremediği yaralar vardı ne yazık ki!

Nazan etraftan gelip geçenlerin dikkatini çektiğini anladığında ne kadar süre orada kaldığını bilemiyordu. Kim bilir ne diyorlardı onun için. Pahalı bir arabanın içinde güzel bir kadın ağlıyor. Bu her zaman insanların dikkatini çeker.

Kendini toparlayıp eve doğru yola koyuldu. Bu akşam Murat ile baş başa romantik bir gece geçirmek ona iyi gelecekti. Kızlara da şarap almıştı. Hem kendi kızı iki arkadaş kazandığı için seviniyordu hem de uzun yıllar önce kaybettiği arkadaşının kızını bulduğu için. Artık onu evladından ayırmayacak ve kendi elleriyle evlendirecekti

* * *

Diğer taraftan Sevgi'nin evinde üç kız son derece mutlu bir tablo çiziyorlardı. Önce sofrayı hazırladılar. Şarap, gerçekten de sürpriz olmuştu. Nilgün bile mutlu görünüyordu. Sevgi onların iyi anlaştıklarını görünce çok sevindi. "Artık mutlu günler geri geldi" diye düşündü. Şarap kadehini kaldırdıklarında içinden bir hafta sonra başka bir yerde olmayı diledi. Şöyle çok uzaklarda deniz kenarında hatta denizin ortasında olmayı…Evet bunu düşünmeliydi. Düşünecek çok şey vardı. Önce parası yerini bulmalıydı.

Çok geç olmuştu. Salonda kanepelerin üzerinde uyuklamaya başladılar. Sevgi bir ara uyandı ve onların üstlerini örttü. Sabah kalktıklarında her tarafları ağrıyacaktı ama değerdi. Çok güzel bir akşam geçirmişlerdi.

15. BÖLÜM

Sabah kalkıp kahvaltılarını ederken telefon çaldı. Sevgi önce saate baktı, neredeyse öğlen olmuştu. Arayan Serdar'dı. Programdan sonra görüşmek istiyordu. Tabii ki görüşebilirlerdi. Sevgi'nin de bu arada halletmesi gereken bir işi vardı. Dün gece kızlarla gırgır-şamata konuşurken, bir yandan aldığı kararı uygulayacaktı. Daha sonra Nazan aradı, sesi uykulu geliyordu, anlaşılan geç kalkmıştı. Kararlaştırdıkları saatte gelip kızları aldı. Sevgi akşam üstü Serdar ile buluşacağını söyleyince yapmacık olarak kırıldılar. Nazan onun kendine ait bir hayatı olduğunu biliyordu...

Sevgi, onlara dün akşam aldığı bir kararı açıkladı.

-Bankadaki paranın yarısını Yetiştirme Yurdu'ndaki çocuklar için bağışlayacağım, yarısının bir bölümü ile sevdiklerimle birlikte bir Akdeniz turu yapmayı planlıyorum. Ne dersiniz?

Nazan bunun iyi bir fikir olmadığını düşündü.

-Hemen söyleyeyim böyle bir geziye seninle çıkarız ama bir şartla! Kendi paramızı ödemek üzere...

-Olur mu hiç öyle şey. Biz artık kocaman bir aile olduk. Eğer siz kabul ederseniz bu akşam Serdar'a da söyleyeceğim. Ondan hoşlandığımı biliyorsunuz. O da aynı sinyalleri veriyor. Hatta hislerim beni yanıltmıyorsa benimle bir gelecek bile düşünüyor...

Bunu söylerken "keşke gerçekleşse" diye düşündü, ama içindeki bir başka ses "böyle olmayacak" diyordu. Bu sesi bastırdı, duymak istemiyordu.

Sevgican böyle bir seyahat fikrini hemen benimsemişti. Bayılırdı böyle gezilere. Annesi ve babası ile sık sık yurtiçi ve yurtdışı gezilerine giderlerdi. Ama bir gemi ile Akdeniz'i dolaşma fikri çok hoşuna gitmişti. Hele yanında Nilgün ve Sevgi varken ne kadar da hoş olacaktı.

-Neden gülümsüyorsun öyle çabuk bana ne düşündüğünü söyle!

Sevgi onu sıkıştırıyordu.

Gemide üçümüz ne çok eğleniriz ve kim bilir belki de bir erkek arkadaş bulurum kendime! Bir kaptan'a ne dersiniz? 159

-Hah hah haa!

-Kaptanlar yaşlı olmaz mı?

Annesi ve Sevgi böyle gülünce suratını astı ve sustu.

Bu konu üzerinde daha çok konuşacaklardı. Ama biraz sonra Sevgi hazırlanmak ve evden çıkmak zorundaydı. Nedense Serdar ile her buluşmasına bir hüzün eşlik ediyordu. Buna bir türlü anlam veremiyordu. Serdar'ın yüzünü görünce hepsini unuttu. Ne kadar güzel bakıyor ve gülümsüyordu.

Güzel bir akşam yemeği yemek üzere deniz manzaralı bir yere gittiler. Sevgi'nin manzara görecek hali pek yoktu. Boğaz Köprüsü'nün parlak ışıkları, karşısında oturan genç adamın gözlük camlarında parlıyordu.

Birkaç hafta önce son derece sakin olan hayatı bir yarışma programı ile tamamen değişmişti. Olaylar öyle hızlı gelişmişti ki Sevgi bu hıza yetişemiyor, yarışmanın onu fırlattığı yükseklikte dengede durmakta zorlanıyordu. Ayakta durabilmesi için etrafındaki insanların elini uzatmasını istiyordu. Oysa çok kısa bir süre önce hayatta yapayalnız olduğu ve dimdik ayakta durduğu için kendisini kutlayan bir kızdı. Neden şimdi yardım istiyordu?

O gece hava çok güzeldi, rüzgâr yoktu ve dışarıdaki masalarda oturulabiliyordu. Bu yüzden hem gökyüzündeki yıldızları hem de Boğaz Köprüsü'nün eşlik ettiği muhteşem İstanbul siluetini görebiliyordu. Ama Sevgi daha çok sevdiği adamın gözlerinde oynaşan ışık demetlerini seyrediyordu. Sanki Serdar ona bir şeyler söylemek ya da açıklamak ister gibiydi. Sevgi bu hissinde yanılmadığını biraz sonra anladı.

-Sevgi seninle çok özel bir konuşma yapmak istiyorum. Ne olur benim sözümü kesmeden dinle olur mu? Yoksa cesaretimi kaybederim ve sözümü tamamlayamam.

Sevgi birden yüreğindeki burgacın harekete geçtiğini hissetti, bu konuşma yapılıp bittiğinde yarasının içinde birkaç tur atacak ve kan yerine acı damlatacaktı. Belki de hiç konuşmaması daha iyiydi. Böylece söyleyeceklerini de duymamış olacaktı. Ama Serdar söze başlamıştı bile. Son derece dikkatle seçtiği sözcüklerden dün akşam üzerinde çok çalıştığı belli oluyordu.

160

-Sevgi, ben çok düşündüm ve babamla da konuştum. Sana söylemek istiyorum ki...

Sevgi iri iri açtığı gözlerinde saklayamadığı endişe ile yalvarırcasına baktı.

-... belki de anladın ben senden çok hoşlanıyorum. Tam 32 yaşımdayım ve artık evlenmek istiyorum. Bunu babama da söyledim. Beni onayladı. Ama senin nazik konumun yüzünden bir müddet beklememizi önerdi. Ama ben beklemek istemiyorum. İnan bana senin karşında 18 yaşında bir genç gibi hissediyorum kendimi. Ne söyleyeceğimi bilemiyorum. Ama bundan sonraki hayatımı seninle birlikte sürdürmek istiyorum. Sen de bunu düşün ve lütfen bana yanıt ver.

Öylesine şaşırmıştı ki. Aslında kendini hazırladığı konuşma bu değildi. Yüreğindeki burgaç gevşedi, derin bir nefes aldı. Hazırlıksız yakalandığı bu soruya ne yanıt vereceğini bilemedi. Sözcükleri gevelemeye başlamıştı.

-Ben böyle bir soru beklemiyordum senden, bana biraz zaman ver. Olur mu?

-Zamanın var tabii ki düşünmek için...

Sevgi o akşam ne yediği yemeği anımsıyordu ne de daha sonra neler konuştuklarını. Ama yine de yolunda gitmeyen bir şey olduğundan emindi. Belki de Serdar ona söylememişti. Belki de ünlü bir psikiyatr olan babası ona daha başka şeyler söylemişti. Sevgi onunla tanışmadan ne düşündüğü hakkında bir bilgiye sahip olamayacağını anladı. Ancak babasıyla karşılıklı gelip gözlerine baktığında anlayacaktı.

Bunu düşünmeyi daha sonraya bıraktı. Sevdiği adamla yediği yemeğin keyfini çıkarmalıydı. Ona gemi ile yapmayı düşündükleri seyahati anlattı ve onlarla gelip gelmeyeceğini sordu.

-TV programına temmuz ayında ara verecekler, o zaman olursa gelebilirim.

Bundan hoşlanmıştı, plan yapmaları için önlerinde bir ay süre vardı. Bu işi en iyi halledecek olan Nilgün'dü. Birden içi ısındı. Etrafında onu seven dostları vardı ve bundan sonraki hayatının mutlu geçmemesi için hiçbir sebep yoktu.

O gece odasına çekilince annesinin babasının ve üç yaşına kadar kendi fotoğraflarının olduğu albümleri aldı. Tüm fotoğrafları çıkarıp yere yaydı. Tek tek baktı, önce gülümsedi, sonra hüzünlendi, daha sonra ağladı. Kapı açılıp da Sevgican, Nazan ve Murat'ı karşısında görünce yüksek sesle hıçkırarak ağladığının farkına vardı. Nazan hemen koşup ona sarıldı. Sevgi, ona şefkatle sarılan kadında annesinin kokusunu aldı ve sakinleşti. Daha sonra salona geçtiler ve çok geç bir saat olmasına rağmen Murat'ın yaptığı çayı içtiler. Sevgi hâlâ Nazan'a sarılmış olarak oturuyordu. Sabahın ilk ışıkları pencereye vurduğunda ancak yattılar. Nazan, Sevgi uyuyuncaya kadar saçlarını okşadı ve uyuduğundan emin olunca sessizce odadan çıktı.

16. BÖLÜM

Bembeyaz, kocaman gemi uçsuz bucaksız denizde süzülüyordu. Dört bir yanı suydu, küçücük de olsa bir kara parçasına rastlamak olanaksızdı. Sevgi ümitsizce bakınıyordu. Bir adayı a-rıyordu. Küçücük bir ada. Bir yarışmada soruyorlardı bu adayı. Bu yüzden onu görmesi ve sonra yanıt vermesi gerekiyordu. Kural buydu çünkü! Önce adanın kendisini görmeliydi. Bir türlü göremiyordu, şuralarda bir yerlerde olmalıydı. Oysa bir kitapta okumuştu. Öyle güzel tarif ediyordu ki adanın olduğu yeri. Gilliat oraya kötü bir motorlu tekne ile gitmişti. Aslında bulunduğu büyük gemi ile oraya varamayacağını hissediyordu. Daha küçük bir tekne ile gitmeliydi.

İtalya civarındaydılar. Gemi Napoli'den kalkmıştı. Birdenbire bir ada gördü. 'Montecristo' Adası'ydı. Ama bu, başka bir romanda adı geçen adaydı. Sorulan sorudaki başkaydı. O anda anladı ki aradığı adadan çok uzaktaydılar. Onun aradığı ada Manş Denizi'ndeydi, oysa şu anda Tiren Denizi'ndeydiler. Ne zaman başlamıştı yolculukları? Buraya nasıl gelmişlerdi? Neden yanında kimse yoktu? Hani bu yolculuğa hep birlikte çıkacaklardı? Nilgün, Serdar, Sevgican neredeydi? Beraber eğleneceklerdi hani?

Soruyu yinelediler, mutlaka bilmesi gerekiyordu. Eğer bilemezse onu götürüp bulamadığı adaya tek başına bırakıyorlardı yarışmanın kuralları gereği. Demek ki bu durumda Manş Denizi'ndeki 'Guernesey' Adası'na bırakılacaktı.. Çünkü sorulan romandaki tema bu adanın etrafında dönüyordu. Orada yapayalnız ne yapacaktı? Belki de romandaki gibi kayaların içindeki sandalyeye oturup denizin yükselmesini ve suların onu örtmesini bekleyecekti orada...

* * *

Sevgi, terden saçları tamamen ıslanmış olarak uyandı. Ne biçim bir kâbustu bu? Evde ve yatakta olduğu için şükretti... Kalktı ve banyoya gitti. Biraz sonra duşunu alıp giyinmiş olarak aşağıdaki mutfağa indiğinde ana-kızı neşe içinde konuşurken gördü. Bir an onları kıskandı. Sonra onlara katıldı ve gördüğü garip rüyayı anlattı. Sonunu dinleyince Nazan'ın başından aşağı kaynar sular döküldü sanki. Yarışmadan sonra iyice sinirleri bozulmuştu. Serdar'la bir konuşsa iyi olacaktı.

-Bugün Serdar'ı davet etsene, madem sana ciddi bir teklifte bulunmuş artık onu iyice tanımak bizim de hakkımız.

Sevgi, Nazan'ın bu teklifine sevindi. Hemen telefona sarıldı ve Serdar'ı aradı. Serdar memnuniyetle gelebileceğini bildirdi. Bunun üzerine hepsi birden mutfağa girip akşam yemeğine gelecek misafirler için güzel yemekler hazırlamaya başladılar.

Murat ve Serdar neredeyse peş peşe geldiler. Tanışma faslından sonra kızlar mutfakta kahve pişirmeye gittiler. Nazan ve Murat, kendi damatları gibi gördükleri Serdar'ı o arada biraz terlettiler. Nazan onunla Sevgi için konuşmaları gerektiğini bir araya sıkıştırıverdi. Önümüzdeki hafta içinde bir gün görüşmek üzere sözleştiler. Bunu Sevgi bilmeyecekti.

İçilen kahvelerden ve neşeli bir sohbetten sonra sıra yemeğe gelmişti. Serdar lezzetli yemeklerden, samimi ve sıcak sohbetten hoşlanmıştı. Daha sonra çaylarını içmek için salona geçtiklerinde artık esas konuya geçmeleri gerekti. Serdar, Sevgi'nin yanıtını almak istiyordu, ona göre ailesine açacaktı konuyu. Nazan söze girdi:

-Belki anlatmıştır, onun annesi benim çok samimi arkadaşımdı ve birbirimize söz vermiştik. Bu yüzden benim kızım sayılır. Onu bizden istemeniz gerekecek. Zaten başka kimsesi yok biliyorsunuz TV'deki yarışma programından sonra akrabası olduğunu iddia eden pek çok kişi çıktı ama hiçbiri gerçek değildi. Kan bağımız yok ama ben onun en yakınıyım şu anda.

Bu arada Sevgi gelmişti, konuşulan konuyu duyunca yüzü kızardı. Aklına rüyası geldi. Bu rüya acaba ona bir mesaj mı veriyordu? Neden böyle bir teklif aldığı gece bu rüyayı görmüştü?

-Ben size başka bir şey söylemek istiyorum. Bankadaki şu meşhur para var ya onun yarısını çocuklara bağışlayıp diğer yarısının bir kısmı ile seyahat etmek istiyorum. Önce bir Akdeniz gezisi düşünüyorum. Tüm sevdiklerimle birlikte. Siz Nazan hanım ve Murat bey, kızınız Sevgican ile benim ailem olarak, Nilgün de annesi ve babası ile manevi ailem olarak ve sen Serdar, sen de annen ve baban ile bu geziye katılırsanız çok sevinirim. Organizasyon bize ait, daha doğrusu bu tam Nilgün'ün işi.

Hepsi birden itiraz eder gibi sesler çıkardılar. Serdar ve Murat, paralarını kendileri öderlerse bu geziye katılabileceklerini söylediler. Sevgi bunun ayrıntı olduğunu düşündü. Onlara bu geziyi hediye edecekti. Öyle düşünmeleri ve kabul etmeleri gerekiyordu.

Murat eğer evlenmeyi düşünüyorlarsa bu para ile ev almaları gerektiğini söyleyecek oldu. Serdar'ın da Sevgi'nin de kendilerine ait evleri vardı. Aslında Sevgi bu parayı istemiyordu. Eskisi gibi çalışarak hayatını devam ettirme kararındaydı. Önce okulunu bitirecek sonra da şirketteki işine devam edecekti. Serdar için bunların bir sakıncası yoktu. Ayrıca onun parasıyla da ilgilenmiyordu. Sevgi bilmiyordu ama Serdar zaten çok zengin bir ailenin oğluydu.

O gece pek çok karar alındı. Sevgi gerçek anne ve babası gibi onunla ilgilenen Nazan'a ve Murat'a bir kez daha minnetle baktı. Sevgican da çok mutluydu. Sanki kız kardeşi evlenecekti.

17. BÖLÜM

O gece Nazan, ilk kez uzun yıllar önce kaybettiği sevgili arkadaşı Nalân'ı rüyasında gördü. Sokakta önünde yürüyen bir kız görüyor. Kız Nalân'a benziyor. Hızlanıyor, fakat önündeki kız çok hızlı yürüyor bir türlü yetişemiyor. Bir ara sokağa sapıyor, yetişir gibi oluyor kız dönüp ona gülümsüyor fakat tekrar gözden kaybediyor. Çaresizce sokaklarda koşuyor. Onun olduğuna emin fakat bir türlü bulamıyor. Sokaklar bomboş... Tam geri dönecek bir bakıyor ki sokağın başında köşede bekliyor. Nazan hızla nefes nefese koşarak ona doğru gidiyor. Fakat ne kadar koşsa da aradaki uzaklık hiç değişmiyor. Sesleniyor, koşuyor, tekrar sesleniyor. Nalân sonunda Nazan'a bakıp gülümsüyor, yeter artık gelme der gibi bir işaret yapıyor. Sonra tekrar gülümsüyor ve hızla sokağın içinde kayboluyor.

Nazan bu rüyayı dün akşamki görüşme sonucu gördüğüne hükmetti. Nalân tüm olanları görmüş ve hissetmişti. Rüyasına girerek arkadaşına teşekkür ediyordu. Nazan Murat'tan hoşlanmıştı. Kendi kızı evlenecek olduğunda göstereceği tüm itinayı Sevgi için de gösterecek ve her şeyle ilgilenecekti. Bu konu birden hoşuna gitti. Hemen evlenme hazırlıklarına başlamalıydı.

Ama önce nereden başlanırdı? Kendi kendine telaşlandı. Bir kıza önce ne gerekirdi evlenmek için? Kendi kızı için hiç düşünmemişti böyle bir şeyi. Hemen kızı yeni evlenen bir arkadaşını aradı. Onunla buluşmalı ve ne hazırlıklar yaptığını öğrenmeliydi. Çok heyecanlıydı.

Ayrıca, bugün bir ara Serdar'ı da aramalıydı, özel olarak konuşmak istiyordu. Çünkü Sevgi'de onu endişelendiren bazı durumlar görüyordu. Bu belki de doğaldı. Çünkü kızın hayatı birkaç hafta gibi kısa bir zaman dilimi içinde öylesine değişmiş ve kendisini öylesine farklı olayların içinde bulmuştu ki bu hareketleri normal karşılanabilirdi belki, kim bilir? Ama bunu yine de bir sormalıydı.

Nazan mutfaktaydı ve kızların uyanmalarını bekliyordu. Hepsi de zorlu bir gece geçirmişlerdi. Sevgi ve Sevgican kısa aralarla geldiler. Kahvaltıya oturduklarında Nazan bir arkadaşına gideceğini onları da istedikleri bir yere bırakabileceğini söyledi.

-Nilgün'e gidelim biz ve bu gezi işini organize etmeye başlayalım.

Sevgi'nin bu teklifine Sevgican bayılmıştı. Çünkü yeni tanıştığı bu iki kızı çok sevmişti. Diğer arkadaşlarına hiç benzemiyorlardı, onların yanında kendisini çok iyi hissediyordu.

Günlerden cumartesiydi ve mayıs ayından beklenmeyecek kadar sıcak bir gündü. Güneş, masmavi bir gökyüzünün ortasında, neşeyle mutlu insanların üzerine parlak ışınlarını saçmakla meşguldü. Kızlar böyle bir havada evde oturulmayacağına karar verdiler. Nilgün'ü aradılar ve o günü piknik yaparak geçirmek üzere anlaştılar. Küçük bir hazırlıktan sonra Nazan onları istedikleri yere bıraktı ve birkaç saat sonra almak üzere anlaştıktan sonra gitti.

Gittikleri yer, Sevgi ve Nilgün'ün evlerinin yakınında bir piknik alanıydı. Ağaçların altında bir masa bulup yerleştiler. Güneş, dalların ve yaprakların arasından yol bulup geçiyor ve kızların saçlarında inanılmaz güzellikte ışıltılar saçarak yüzlerine yansıyordu. Yan taraftaki masalarda çocuklu aileler, gürültü içinde mangal yakmaya çalışıyorlardı. Sevgican da diğer kızlara uymuş et yememeye karar vermişti. O günkü yiyecekleri kekler, börekler ve kurabiyelerden ibaretti. Tabii ki bol bol çay vardı.

Üç kız orada neşeyle masalarını hazırlayıp, semaverle çayları da gelince çok keyiflendiler.

-Keşke hepimizin sevgilisi olsaydı da buraya çağırsaydık onları!

Nilgün böyle söylerken aklına birden Alper geldi ve hüzünlendi. Keşke gitmeseydi Amerika'ya diye düşündü. Sevgi onu neşelendirmek için:

-Bak ben şimdi Serdar'ı çağıracağım o da iki arkadaşını kapsın gelsin mi?

Kızlar bu espriye çok güldüler ama fena fikir de değildi hani! Sevgi bir sorsaydı ya Serdar'ın bekâr arkadaşı var mı diye.. Ama Serdar onlardan epeyce yaşlıydı ve arkadaşlarının evli veya nişanlı olma olasılığı çok fazlaydı. Sevgi, Serdar'ı aradı ama bugün bir işi olduğunu ve onlara çok istediği halde katılamayacağını söyledi. Sevgi'nin nedense içi burkulmuştu. Oysa telefonu çevirdiğinde onun geleceğinden ne kadar da emindi. Neyse bu günü sevdiği arkadaşlarıyla geçirecekti.

O gün çıkacakları Akdeniz yolculuğunu planladılar. Tüm ayrıntılarla Nilgün ilgilenecekti. Pazartesi sabahı ilk işi bu olacaktı. Kızlar o gezide Sevgi ve Serdar'ın nişan törenini de yapmayı kararlaştırdılar. Tabii ki, büyüklerinin onayını da alacaklardı. Sevgi, Serdar'ın ailesi ile henüz tanışmamıştı. Bu geziden önce tanışmalıydı ki gemide rahat edebilsinler...

Çok güzel bir gündü. Güneş parlıyor, kızlar gülüyor ve saatler geçiyordu. Sonunda Nazan'ın telefonu ile gerçek dünyaya döndüler. Nilgün'ü evine bıraktıktan sonra evlerine geldiler. Yolda kızlar hep geziden bahsediyorlardı. Nazan biraz çekinerek Sevgi'ye:

-Bu geziye katılmasını istediğin herkese teklifini resmi olarak yapmadan rezervasyon işine girişmeyin isterseniz...

dedi.

-Haklısınız onu bu iki günde halledeceğiz. Çünkü pazartesi günü Nilgün girişimlere başlayacak.

Yolda Serdar aradı ve işinin bittiğini eğer hâlâ oradaysalar onlara katılabileceğini söyledi. Sevgi yolda olduklarını ve eve yaklaştıklarını söylerken Nazan onu eve davet etti. Onlardan biraz sonra Serdar geldi. Murat zaten evdeydi. Böylece onlara teklifini yapabilecekti. Sırada Nilgün'ün annesi ve babası ile Serdar'ın annesi ve babası vardı. Sevgi hepsine hitaben, daha önce planlayacağını söylediği gemi gezisi teklifini yineledi. Murat ve Serdar para konusu dışında, her şartı kabul ediyorlardı. Sevgi bu gezinin tüm giderlerinin bankadaki para ile karşılanacağını kararlı bir sesle bildirdi. Daha sonra Serdar ile biraz dışarı çıkmak için izin istedi. Onunla özel bir görüşme yapacaktı.

Serdar biraz meraklanmıştı doğrusu. Sevgi, daha önce yaptığı teklifi kabul ettiğini ve eğer onu fazla aceleci bulmuyorsa, ailesi ile tanışmak istediğini söyledi. Fakat dilinin ucuna kadar gelmesine rağmen gemide nişanlanmak fikrini ona bir türlü söyleyemedi. Eve döndüğünde ertesi gün Serdar'ın ailesi ile tanışacağının müjdesini verdi. O akşam yemekten sonra düşündüler ve Nilgünlere gitmeye karar verdiler. Telefon edip müsait oldukları haberini alınca da evden çıktılar. Gezi teklifi onlara da resmi olarak yapılacaktı.

Sami ve Nermin misafirlerini büyük bir nezaketle karşıladılar. Hazırlıksız yakalandıkları için biraz çekingendiler. Çaylar içilip pastalar yenildikten sonra Sevgi teklifini onlara da yaptı. Nilgün'ün ablaları ve ağabeyi çok istemelerine rağmen işleri dolayısıyla bu geziye katılamayacaklarını bildirdiler. Sami kendisi finanse ederse gelebileceklerini söyleyince Sevgi patladı:

-Ben bu parayı sizin sayenizde kazandım Sami bey amca. Biliyorsunuz siz beni götürüp getirdiniz. Benimle birlikte kaç gün dolaştınız. Bunu bir hediye olarak kabul edin lütfen.

Nazan ve Murat istemeden de olsa kabul ettiklerini söyledikten sonra Sami bey de onlara uymak zorunda kaldı. Böylece bü-

169

yük engel aşılmıştı. Sadece Serdar'ın annesi ve babası kalmıştı. Sevgi, içindeki olumsuz sesi hemen bastırdı ve başka şeyler düşünmeye çalıştı.

* * *

Karanlıklar içinde koşuyor, koşuyor, koşuyordu. Birden bir ses duydu. Ne olduğunu anlayamamıştı ama kötü bir şey olduğundan emindi. Tekrar koşmaya devam etti. Arkasına baktı kimse yoktu, ama önünde birkaç kişi vardı. Onlar da bu çılgın koşuya katılmışlardı. Birden onları tanıdığını sandı. Annesi ve babasıydı onlar fakat birisi daha vardı. Annesi ve babası ellerinden tutmuş götürüyorlardı, arkası dönüktü. Genç bir adamdı o da ama bir türlü yüzünü seçemiyordu. Hava karanlıktı ve yağmur yağıyordu. Çılgınca onlara yetişmeye çalıştı. Tam ümidini kestiği anda annesi ve babasının elinden tutarak götürdüğü genç adam dönüp baktı. Sevgi bir an onun yüzünü gördü ve çığlık çığlığa uyandı.

170

18. BÖLÜM

Sabah olmuştu. Güneş ışınları pencereden uzanmış şefkatli bir el gibi yüzünü okşuyordu. Sadece kötü bir rüya görmüştü. Çok kötüydü, annesi ve babasının götürdüğü genç kimdi? Koşarken ona yüzünü dönmüş ve görmüştü ama şimdi hiç anımsamıyordu. Alper miydi? Yoksa Serdar mıydı, ya da tanımadığı başka bir genç adam mı? Dün çok yorulmuş olmalıydı. Bugün Serdar'ın ailesi ile tanışmaya gideceğini anımsadı. Hemen kalkmalı duş alıp hazırlanmalıydı. Bu telaşla rüyasını unuttu gitti.

Aşağı indiğinde sadece Sevgican'ı gördü. Nazan ve Murat arkadaşları ile çıkmışlardı. Kızlar birlikte güzel bir kahvaltı ettiler. Sevgi ona endişelerini anlattı. Nedense Serdar'ın annesinden çekiniyordu. Henüz tanışmamıştı ve hakkında hiçbir şey bilmiyordu. Ama işte içindeki o ses var ya o ses...

Bir saat kadar sonra Serdar gelip onu aldığında, yüreğindeki burgacın gelip yarasının üzerine yerleştiğini hissetti. Bu duyguyu çok iyi tanıyordu. Biraz sonra yarasının üzerinde dönmeye başlayacağının bir işaretiydi. Bugün biraz üzülecekti Sevgi, bunu hissedebiliyordu.

Serdarlar'ın evine, daha doğrusu şahane bir villaya geldiklerinde Sevgi yüreğindeki burgacın ilk turunu attığını hissetti. Serdar'ın annesi İnci onları, genellikle evinde çalışan insanlar için kullandığı ve kapıyı açmadan önce yüzüne yerleştirdiği bir gülümseme ile karşılamıştı. Çevresindeki herkes için yüzünde ayrı bir maske olan insanlardandı o. Sevgi daha sonra karşılıklı oturduklarında İnci hanımla göz göze gelmeye çalışmış fakat bunu asla başaramamıştı. Serdar devamlı olarak bir konu ortaya atıyor ve konuşma gelişiyordu. İnci, şimdiye kadar oğlunun pek çok kız arkadaşı ile tanışmış olduğunu laf aralarına öyle ustalıkla sıkıştırıyordu ki Sevgi'nin bir ara başı döner gibi oldu.

İnci, 50 yaşlarında son derece güzel bir kadındı. Sarı saçları özenle taranmış ve iri gözleri ustalıkla boyanmıştı. Aslında çok fazla makyaj yapmamıştı. Fakat yüzünde nedense yapay bir hava vardı. Belki de bu, gözlerindeki ifadeden kaynaklanıyordu. Karşısındaki insanı küçümseyen, ezen, konuşmasını engelleyen bir havası vardı. Eskiden saraylarda hizmetçilerle uşaklarla yaşamış, fakat şimdi eski hayatından daha düşük bir seviyede yaşıyormuş gibiydi, ya da öyle görünmek için gayret ediyordu. Bir manken kadar düzgün vücudu vardı. Son derece şık bir ipek pantolon-takım giymişti. Ayakkabısı ve kemeri bir servet değerinde olmalıydı. Sanki oğlunun kız arkadaşıyla tanışmak için değil de lüks bir restorana yemeğe gidecekmiş gibi abiye giyinmişti.

Duyguları konusunda hiç yanılmamıştı. Biraz sonra Serdar'ın babası geldi. Sevgi bir an şaşırdı. Baba-oğul öylesine benziyorlardı ki. Sadece Orhan, Serdar'ın yaşlanmış bir kopyasıydı. Son derece kibar ve şıktı. Aynı oranda içten ve sevecen gözlerle Sevgi'ye bakıyordu. Sanki gözlerinin içinden ruhuna bakıp ne düşündüğünü anlamak istiyordu. Sevgi onun hastalarının ne kadar şanslı olduğunu düşündü. Sadece bakışı ile insanların sorunlarını anlayabilir gibiydi. Orhan eşinin aksine son derece rahat ve halktan biriydi. Oysa Orhan'ın ataları Osmanlı Devletine kadar uzanıyordu, köklü, zengin ve asil bir aileye sahipti. İnci ise tam tersine orta halli bir aileden geliyordu. Orhan ile tesadüfen tanışmışlardı.

Sevgi, Orhan'ın gelmesi ile biraz rahatladı. İnci'ye karşı üç kişiydiler ve şimdi kendisini iyi hissediyordu. Yüreğindeki burgaç şimdilik kalkmıştı. Çay servisi yapıldığına sevindi çünkü İnci, Sevgi'yi yormuştu. Aklına Nilgün'ün ve Sevgican'ın anneleri geldi. Onlar tam anne gibiydi. İnci ise dizi filmlerdeki süslü ve iğreti anne karakterini çağrıştırıyordu insana...

Sevgi onlara gemi gezisini nasıl söyleyeceğini bilemiyordu. Hele de bu gezinin ücretinin kendisi tarafından ödeneceğini söylediğinde İnci'nin tepkisi ne olacaktı acaba? Söyleyebileceğini hiç sanmıyordu ama bakalım, bir deneyecekti!..

İnci'nin baskın kişiliği Sevgi'yi etkisine almıştı ama Orhan gelince biraz rahatlamıştı. Bir ara sözü geziye getirecek gibi oldu fakat o sırada İnci kalkıp salondan çıktı. Sevgi üzerinden bir yük kalkmış gibi rahatladı ve Serdar'a hitaben:

-Gezi planından bahsedebilir miyiz acaba?

diye çekinerek sordu.

-Tabii ki bahsedebilirsin babam gezmeyi çok sever ama annem için aynı şeyi söyleyemeyeceğim. O gezmeyi pek sevmez. Daha doğrusu evden çıkmayı sevmez. Gelince söyleyelim. 173

Sevgi'nin yüreğindeki burgaç hızla dönmeye başlamıştı. Bu, biraz sonra bu odada iyi bir şeyler olmayacağının işaretiydi. Hemen kalkıp gitseydi oradan ne iyi olurdu!..

Biraz sonra İnci gelip tüm vakarıyla aynı koltuğa adeta tahtına oturan bir kraliçe edasıyla oturmuştu. Sevgi'ye göz göze gelmemeye çalışarak bir bakış fırlattıktan sonra:

-Burada ben yokken bilmem gereken bir şeyler konuşulmuş!

dedi. Üçü birden ona dönüp baktılar. Orhan ve Serdar gülümsedi ama Sevgi endişeliydi.

-Bir gemi gezisi planlıyoruz. Tüm Akdeniz'i kapsayacak...

-Ben deniz gezilerini hiç sevmem bilmiyor musunuz? Siz istiyorsanız gidiniz tabii ki!

İnci, Serdar'ın konuşmasını yarıda kesip böyle bir geziye katılmayacağını kesin bir dille söylemişti işte...

Sevgi, yüreğindeki burgaç hızla dönmeye ve acısı, gözlerinden yaş şeklinde damlamaya başladığında Serdar ayağa kalktı.

-Bu ziyaret bitmiştir! Hoşça kalın.

dedi ve Sevgi'yi elinden tutarak odadan çıkardı. Orhan kalktı ve kapıya kadar onları geçirdi.

-Siz ona bakmayın, o hep böyledir. Tepkisi size değil hayata karşıdır!

-Peki baba iyi günler!

-İyi günler efendim, sizinle tanıştığım için gerçekten çok sevindim.

Sevgi bu sözleri söylerken samimiydi. Serdar'ın babası çok hoş ve içten bir insandı. Ama annesi için aynı duyguları beslediği söylenemezdi! Zaten söylemedi o da...

Dışarı çıktıklarında hava birden değişmiş, hafif bir yağmur başlamıştı. Sevgi havanın bile içinde bulunduğu ortama uyduğunu düşünüp gülümsedi. Serdar da ona bakıp gülümsedi. Aslında çok endişeliydi. Bu tanışmanın böyle olacağını bile bile götürmüştü Sevgi'yi eve. O kapıdan çıkarken emin olmuştu ki annesi asla o gemi gezisine gelmeyecekti. Dolayısıyla babası da!

Bunları Sevgi'ye uygun bir şekilde söyleyecekti. Aslında çok önemi de yoktu. Onlar gelmese de olurdu. Hatta gelmeseler çok daha iyi olurdu! Bunu düşününce biraz utandı ama gerçek buydu.

Serdar arabada giderlerken hiç konuşmuyor ve çok düşünceli görünüyordu. Sevgi çok üzülmüştü. Bunlara kendisinin sebep olduğunu düşünüyordu. Keşke tanışmaya gitmeseydi.

Yağmur biraz daha şiddetlenmişti. Sileceklerin ritmik sesi Sevgi'nin sinirlerini bozmuştu. İçinde zaten sabahtan beri olan garip his gitgide artıyordu. Ne olduğunu anlayamıyordu ama burgaç korkunç bir hızla dönüyordu. İçindeki yara o kadar büyümüştü ki bugün, bir daha asla iyileşmeyeceğinden emindi. Yağmur gitgide artıyor silecekler son hızla çalıştıkları halde göz gözü görmüyordu. Serdar hiç konuşmuyor, Sevgi sanki kötü bir şey olacakmış gibi koltuğa büzülmüş oturuyordu.

Birden korkunç bir fren sesi ve bir gürültü duydu ve aynı anda kendinden geçti. Annesi şarkı söylemeye başlamıştı yine ama bu kez ona ellerini uzatmış, çağırıyordu. Koşa koşa annesinin yanına gitti, sarıldı. Annesi onu elinden tuttu. Sanki uçuyorlardı o kadar mutlu ve hafifti ki her şey geride kalmıştı. Hiçbir şeyin önemi yoktu, sadece, annesi ve o vardı. Annesinin kokusunu duyuyordu. Sonra birden annesi geri dönüp onu bıraktı. Şimdi babası da gelmişti ve ona bir kez daha sevgiyle baktılar ve acele ile koşarak başka birisinin ellerinden tuttular ve hızla gözden kayboldular.

Sevgi baygındı ama o anda rüyasını anımsadı. Aynen gerçekleşmişti. Birden korkunç bir gerçeği, rüyasındaki genç adamın yüzünü anımsadı. Serdar'dı o. Annesi ve babası onun ellerinden tutmuş ve koşarak gitmişlerdi. Korkunç bir girdabın içinde döndü, döndü. Sisli bir karanlık içinde yitip gitti.

19. BÖLÜM

Sevgi saçlarını okşayan yumuşak eli ve annesinin kokusunu tekrar duydu.

-Bakın gözlerini açıyor!

dedi bir ses.

-Evet artık uyandı!

dedi bir başka ses.

Gözlerini açtı. İlk gördüğü Nazan'dı. Yatağının başucuna oturmuş saçlarını okşuyordu. Bir hastane yatağında olduğunu anladı. Sevgican ve Nilgün de oradaydılar. Birden o yağmuru ve korkunç fren sesini anımsadı. Bir kaza geçirmişlerdi.

-Serdar! Serdar nerede? O iyi mi?

Karşısındaki insanların gözlerindeki ifade aslında tam tersini söylüyordu ama Nazan yanıt verdi.

-İyi o, başka bir odada yatıyor. Daha sonra görürsün. Şimdi sen kendini bir an önce toparlanmaya çalış bakalım.

-Ben iyiyim, ne olur beni onun odasına götürün. Ya da o gelsin buraya!

Nazan yıllar önce benzer bir sahneyi daha yaşamış olduğu için yüreğinde dayanamayacağını sandığı bir acıyla karşı karşıya kalmıştı. Kızlar ise gözlerinden akan yaşları daha fazla saklayamadılar. Sevgi onlara bakınca gerçeği anladı.

-O öldü değil mi? Lütfen bana söyleyin. Rüyamda annem önce beni çağırdı, götürecekti; fakat sonra geri getirdi ve babamla birlikte onu götürdüler. O öldü, değil mi?

Yanıt vermelerine gerek yoktu. Zaten yüzlerindeki ifade ve duruşları yeterince açıktı... Sevgi tekrar o girdaba kapıldı döndü, döndü ve karanlık bir kuyuya doğru çekildi.

Kuyuda dibe doğru giderken, burgaç bu kez öylesine hızlı dönüyordu ki artık değil yarasını, yüreğini bile tamamen oyup parçalamıştı. Istırabını, burgacın oyduğu ve eskiden yüreğinin bulunduğu o büyük boşluğa akıttı. Bir daha asla eski haline dönemeyeceğini biliyordu. Bundan sonra, içindeki boşluğa doldurduğu acılarla yaşayacak bir ölüydü.

20. BÖLÜM

Sevgi uyandığında Nazan, yanındaki kanepede uyku ile uyanıklık arasında gidip gelmekteydi. Gözlerini açtığını hissedince içtenlikle ve büyük bir şefkatle gülümsedi. Gözlerinde, bir annenin küçük bebeğine baktığı gibi bir ifade vardı. Sevgi birden Serdar'ı anımsadı. Tarifi imkânsız bir acı duydu.

Nazan yattığı yerden doğruldu Sevgi'nin yanına gitti ve saçlarını okşamaya başladı, artık onu annesi gibi görüyordu. İyi ki vardı, bu kötü günleri nasıl atlatırdı yoksa. Biraz sonra Nilgün ve Sevgican da geldiler. O gün hastaneden çıkacaktı. Doktorlar artık iyileştiğine karar vermişti...

Ama ya yüreğindeki yara? O da iyileşmiş miydi?

Yakın zamanda okuduğu **"Seni İçime Gömdüm"** isimli bir kitapta; Andrew Jolly, eşi ölen adamın aşk acısını şöyle dile getiriyordu: *"Aşkı, dilinin ucunda bir acı gibi durur, konuşma duyusunu köreltirdi. Çünkü benliğinin tam ortasında açılmış bir yarayı andıran bu aşk, dünyadaki hiçbir sözcükle anlatılamazdı."*

Bir anda o kitapta okuduğu aşkın büyüklüğünü kavradı. O da böyle büyük bir aşka düşmüştü, sevdiğini kaybetmişti ve benliğinin ortasında, yüreğinin içinde açılmış bir yara olan aşkını ve acısını dünyadaki hiçbir sözcük anlatamayacaktı.

* * *

Karşısında sevdiği insanları görünce içi burkuldu. Ama ne olursa olsun hayat devam edecekti. O yataktan kalkacak, giyinecekti. Yaşananları unutamazdı, insanoğlu ölüm karşısında çaresizdi. Tek bir dayanağı vardı: Kendi hayatını sürdürmek!

Sevgi annesi ve babasının ölümünü hiç anımsamıyordu. Babaannesi öldüğünde ise çocukluktan genç kızlığa yeni geçiyordu ve çok üzülmesine rağmen tek başına bu acıyı taşıyıp yaşamını devam ettirmişti.

Şimdi ise... Çok kısa bir süre önce hayatını tamamen değiştiren o yarışmaya katılmıştı. Daha sonra olaylar yıldırım hızıyla gelişmiş ve neler olup bittiğini anladığında ise işte bu yatakta yatıyordu. Sadece 26 gün geçmişti aradan. Birden inanamadı buna... Sanki aradan yıllar geçmişti. Gözünün önünden bir film şeridi gibi Nilgün, Alper, Serdar, Sevgican geçti... gözlerinin karardığını hissetti. Ne olurdu bayılsa ve hiç ayılmasaydı? Buradan çıkınca onu ne kadar kötü günler bekliyordu kim bilir?

Birden kapıda Serdar'ın babasını gördü. İçinde müthiş bir korku hissetti, ya annesi de geldiyse? Onunla asla karşılaşmak istemiyordu. O bakışlara dayanamazdı.

Orhan, doktor olmasının da verdiği profesyonel bir yaklaşımla ve gözlerinde içten bir şefkatle Sevgi'ye doğru yürüdü. Elini avuçlarının içine aldı, gözlerinin içine bakarak:

-Kendini asla suçlama, bundan sonra benim de kızım sayılırsın, istediğin her an sana yardıma hazırım.

Sevgi onun gözlerinde akıp akmamak arasında kararsız kalan yaşları gördü. Zaten bu yüzden konuşmasını kesmişti. Bu asil adamın oğlunun sevgisine çok az bir zaman da olsa sahip olduğu için sevindi. O anda kendine bir söz verdi. Bir daha asla kimseyi sevmeyecekti. Hiç kimseyi onun yerine koymayacak, böyle-

179

ce onu yüreğinde yaşatacaktı. Hayatındaki ilk ve tek aşkı olmuştu, sonuncu olarak da kalacaktı.

Serdar'ın ölümü ile birlikte içinde büyük bir yangın çıkmış her şeyi, her yeri yakmış, kavurmuş kül etmişti. Bir çöl gibi susuz ve çorak kalmıştı. Dalları yanmış kurumuş bir ağaçtı o artık. İlkbaharda yağan yağmurlar, ağaçları canlandırır, oysa onun kurumuş gövdesi bir daha asla canlanmayacaktı! Yeni ailesinin ilgisi, özellikle Nazan-annenin (artık ona isteği üzerine böyle diyecekti) ona gösterdiği, yağmur sonrası güneşi kadar sıcak şefkat, içindeki susuz çölleri yemyeşil çayırlara dönüştürebilecek miydi? Karanlıklara gömülen hayatı aydınlanabilecek miydi?

Yaklaşık 26 günde yaşadığı tüm olayları ve aşkını yüreğine gömecek ama bunu kimse bilmeyecekti. Diğer insanlar onun öldüğünü ve gömüldüğünü zannedeceklerdi. Saatlerle ifade edilebilecek kadar bir zaman dilimi içinde birlikte olduğu bu genç adam, asla onun anılarından silinmeyecek ömrünün son dakikasına kadar yüreğinin bir yerinde onunla birlikte yaşayacaktı.

Tek sevgilisi ile birlikte çekilmiş bir fotoğrafı bile yoktu ama ondan öyle bir anı vardı ki Sevgi artık hiç yanından ayırmayacaktı. Bir zamanlar avucunda tuttuğu, kendi küçük dünyalarının ve sevgilerinin bir parçası olarak, hatta bir nişan yüzüğü yerine armağan ettiği, hâlâ onun sıcaklığını taşıyan, parlak, küçük pembe bir çakıl taşı!..

Hastaneden çıkalı birkaç gün olmasına rağmen Sevgi iyi görünüyordu. Daha doğrusu görünmeye çalışıyordu. Patronuyla konuşmuş ve bir an önce işine dönmek üzere anlaşmıştı. Nazan onu birkaç hafta daha evde tutmak niyetindeydi. Sevgican ve Nilgün ise bir an bile onu yalnız bırakmıyorlardı. Artık Nilgün de onlarla birlikte kalıyordu.

Sevgi bir yarışma sonucunda kazandığı ve tek kuruşuna el sürmediği büyük ikramiyeyi olduğu gibi yetiştirme yurtlarında büyümek zorunda kalan çocuklara bağışladı. Bu işlemlerle Sami ilgilenmişti.

Bu yarışma onun hayatını tamamen değiştirmişti. Amacı sadece akrabalarını bulmaktı. Fakat akraba yerine para peşine düşen pek çok insan çıkmıştı ortaya... Böylece akraba fikrinden istemeyerek de olsa vazgeçmişti.

Aslında, kazadan sonra hastanede yattığı günlerde bir akrabası ortaya çıkmış ve telefonunu TV programcılarına bırakmıştı. Eğer isterse arayabileceğini, parayla pulla kesinlikle ilgilenmediklerini söylemişlerdi. Kendisini daha iyi hissettiği bir gün onları arayacaktı. İçindeki ses onların gerçek akraba olduklarını fısıldamıştı. Bu sevindirici bir haber olmuştu Sevgi için...

Serdar'ın babası Orhan, o kötü günleri atlatmasına çok yardımcı olmuştu. Sevdiği adamın babası artık onun başı sıkıştığı anda arayabileceği kadar yakın biriydi. Doktor kimliğinin altında ona gerçek bir baba gibi kol kanat germişti.

Yarışma sayesinde yine yıllarca aradığı annesinin söylediği şarkıyı bulmuştu. Bu şarkı binlerce liradan daha değerliydi.

Alper'i bulmuştu. Çocukluğunda onu en çok kızdıran, ağlatan ama yine de asla unutmadığı Alper... Fakat Alper'i bulduğu anda yeniden kaybetmişti. Tıpkı yıllar önce onu şikayet ettikleri günün ertesinde okuldan aniden ayrıldığı zamandaki gibi.

181

Nazan, Murat ve kızları Sevgican ise bu yarışmanın büyük ikramiyeleriydi belki de. O yaşa kadar yaşamadığı duyguları ona tattırmışlardı.Tam anlamıyla ona anne, baba ve kardeş olmuşlardı.

Serdar... İşte, aslında yarışmanın en büyük ödülü oydu. Ama kazanamamıştı!.. Son anda kıl payı kaybetmişti. Hayat böyleydi! Bazen kazandığınızı düşündüğünüz anda bir de bakıyordunuz ki... Kaybetmişsiniz!..

* * *

Aradan yıllar geçti. Sevgi okulunu bitirdi. Şirkette önemli biriydi artık. Bir daha hayatına hiç kimse giremedi. Şimdi pencereden bakınca gördüğü insanların değil kendi öykülerini yazıyor ve yaşlanınca onları yayımlatmayı düşünüyor.

Nilgün, başarılı bir avukat şimdi, birkaç erkek arkadaşı oldu ama hiç evlenmedi. Sevgican ise ünlü bir psikolog ve o da evlenmedi. Üç kız, hiç ayrılmayan gerçek dostlar şimdi. O asla konuşulmayan yılın kara mayıs ayında planladıkları geziye ise tam 10 yıl sonra yine bir mayıs ayında beraber çıktılar.

* * *

Geminin güvertesinde ayakta öylece durmuş, önünde uzanan uçsuz bucaksız denize bakıyordu. Batan akşam güneşi suları eşsiz bir kızıla boyuyordu. Rüyada gibiydi. Gözlerini o muhteşem ışıltılardan ayıramıyor bir yandan da düşünüyordu. Nefis bir mayıs akşamıydı. Bir zamanlar; yine böyle şahane bir mayıs ayında, ne kadar çok istemişti Akdeniz gezisine çıkmayı... Ne zamandı? Aradan kaç yıl geçmişti? Rüyalarını süsleyen ve romanlarda okuduğu adalara da gitmek istiyordu. Bu gemi, hiç yaşanmamış ve asla yaşanmayacak olan düşlerini de beraberinde taşıyordu. İçinde, çok uzun yıllar önce gelip takılan ve bazen anlaşılmayacak kadar yavaş, bazen ise son hızla dönen burgacı hissetti. Yüreğinin tam ortasındaki yaranın içinde dönmeye ve ıstırabını damla damla akıtmaya başlamıştı yine...